AMNISTÍA INTERNACIONAL

MÉXICO
Tortura e impunidad

EDAI

Foto de cubierta: Una cárcel en Acatán, Puebla.
© Foto México
Marco A. Cruz/Imagenlatina.

Edición española a cargo de:
EDITORIAL AMNISTÍA INTERNACIONAL (EDAI)
Soria, 9
28005 MADRID
ESPAÑA

Publicado originalmente en inglés en septiembre 1991
y traducido por:
AMNESTY INTERNATIONAL PUBLICATIONS
1 Easton Street
LONDRES WC1X 8DJ
REINO UNIDO

I.S.S.N.: 1130-2518/23
Índice de AI: AMR 41/O3/91/s

Impreso por:
MUNDOGRAF
Carretera de Extremadura, km. 20,300
Móstoles - Madrid - España
Depósito Legal: M-28420-1991

Este documento forma parte de la campaña mundial de Amnistía Internacional para la protección internacional de los derechos humanos.

Miles de personas en todo el mundo se encuentran en prisión a causa de sus creencias. Muchas están recluidas sin cargos ni juicio. La tortura y la pena de muerte son prácticas frecuentes. En muchos países, hombres, mujeres y niños han desaparecido después de haber sido puestos bajo custodia oficial. A otros se les ha matado sin ningún viso de legalidad: seleccionados y asesinados por agentes de sus propios gobiernos.

Estos atropellos —que tienen lugar en países de muy diferente ideología— exigen una respuesta internacional. La protección de los derechos humanos es una responsabilidad universal que trasciende los límites de naciones, razas e ideologías. Este es el principio fundamental en que se basa la labor de la organización.

Amnistía Internacional es una organización mundial, independiente de todo gobierno, ideología política o credo religioso. Como tal, desempeña un papel muy particular en la protección internacional de los derechos humanos. Los presos son el centro de todas las actividades de la organización.

Amnistía Internacional:
— trata de obtener la liberación de los *presos de conciencia*, es decir, de las personas encarceladas en cualquier lugar del mundo a causa de sus convicciones, color, sexo, origen étnico, idioma o religión, siempre y cuando no hayan recurrido a la violencia o abogado por ella.
— pide que se juzgue con prontitud e imparcialidad a todos los *presos políticos*.
— se opone sin reservas ni excepción a la pena de muerte, a la tortura y a toda pena o trato cruel, inhumano y degradante para *todos los presos*.

Amnistía Internacional es imparcial. Ni apoya ni se opone a ningún gobierno o sistema político, ni tampoco apoya o se opone necesariamente a las opiniones de los presos cuyos derechos trata de proteger. Lo que pretende en cada caso particular es defender los derechos humanos, sea cual sea la ideología de los gobiernos o las convicciones de las víctimas.

Amnistía Internacional, por principio, condena la tortura y la ejecución de presos o cautivos perpetrada por cualquier persona o grupo, incluyendo los de oposición. En los gobiernos recae la responsabilidad de estos abusos, a los que deben poner fin siguiendo las normas internacionales para la protección de los derechos humanos.

Amnistía Internacional no clasifica a los gobiernos según su trayectoria en derechos humanos. No trata nunca de establecer comparaciones, sino que se esfuerza por poner fin a las violaciones de derechos humanos específicas de cada caso.

Amnistía Internacional tiene miembros activos en todo el mundo. La organización está abierta a toda persona que apoye sus fines. A través de su red de miembros y simpatizantes, Amnistía Internacional accoge para su consideración casos individuales, moviliza a la opinión pública y se esfuerza por mejorar las normas internacionales para el trato de los presos.

Amnistía Internacional actúa basándose en la Declaración Universal de Derechos Humanos (ONU) y otros convenios internacionales. La organización mantiene relaciones de trabajo con el Consejo Económico y Social de las Naciones Unidas (ECOSOC); la Organización de las Naciones Unidas para la Educación, la Ciencia y la Cultura (UNESCO); el Consejo de Europa; la Organización de los Estados Americanos (OEA) y la Organización de la Unidad Africana (OUA).

La información sobre los presos y las violaciones de derechos humanos procede del Departamento de Investigación de Amnistía Internacional, radicado en Londres. No corresponde a ningún miembro, Grupo o Sección el proporcionar información sobre su país, ni tampoco son, en modo alguno, responsables de las actividades o declaraciones de la organización internacional referentes a su país.

Para recibir más información acerca de este documento deben dirigirse a:

Secretariado Internacional
Amnistía Internacional
1 Easton Street
Londres WC1X 8DJ
GRAN BRETAÑA
Teléf.: (4471) 833 17 71

MÉXICO
Capital: Ciudad de México.
Superficie: 1.967.183 km².
Población (1989): 84.270.000 habitantes
Idiomas: español (oficial); lenguas indias (nahuatl, otomi, maya).
Moneda: peso.
Jefe del Estado y del gobierno: Carlos Salinas de Gortari, presidente.
Forma del Estado: república federal (31 Estados y un distrito federal).
Sistema de gobierno: democracia presidencialista.
Pena de muerte: vigente sólo para delitos excepcionales (legislación militar y tiempo de guerra).

Introducción

A mediados de 1990 el gobierno mexicano se enfrentaba a una nueva oleada de críticas nacionales e internacionales sobre la cuestión de las violaciones de derechos humanos a raíz del asesinato, al estilo de los perpetrados por los «escuadrones de la muerte», de la abogada de derechos humanos Norma Corona Sapién. Ésta, presidenta de la Comisión para la Defensa de los Derechos Humanos en Sinaloa, murió el 21 de mayo de 1990 en la capital de dicho estado, Culiacán, abatida a tiros por un grupo de pistoleros no identificados. La abogada estaba investigando el caso de un abogado mexicano y tres profesores universitarios venezolanos, presuntamente secuestrados por agentes de la policía judicial federal, cuyos cadáveres habían aparecido cerca de Culiacán en febrero de aquel mismo año con señales de tortura.

En marzo de 1990, Norma Corona Sapién había anunciado públicamente que, debido a sus averiguaciones, estaba recibiendo amenazas de muerte, según creía, de agentes de la policía federal. La indignación que suscitó su asesinato obligó al gobierno mexicano a prometer públicamente que «las cosas en México ya no serán como antes» y que se enfrentaría a las generalizadas violaciones de derechos humanos, y en especial de la tortura.

Un año después[1], y pese a la prohibición pública de la tortura efectuada por el gobierno y a una serie de iniciativas legales y administrativas, casi cualquier detenido corre el riesgo de ser torturado. La tortura sigue siendo un mal endémico en México. Amnistía Internacional considera que la razón principal es la impunidad casi total de que gozan los funcionarios encargados de hacer cumplir la ley que, habitualmente, actúan conculcando la ley sin temor al castigo.

La oleada de indignación e inquietud por la situación de los derechos humanos que suscitó el asesinato de Norma Corona Sapién no era la primera a la que se enfrentaba un gobierno mexicano. El problema de la tortura en México recibió una amplia difusión en septiembre de 1985: el día 9 de aquel mes, y a consecuencia de un terremoto que causó numerosas pérdidas humanas y daños materiales en la ciudad de México, se descubrieron pruebas de estas prácticas en uno de los edificios destruidos, la sede de la Procuraduría General de Justicia del Distrito Federal[2], entre cuyas ruinas aparecieron varios cadáveres con señales de tortura.

La indignación pública suscitada hizo que el gobierno del presidente Miguel de la Madrid Hurtado adoptara una serie de medidas, como la ratificación, el 23 de enero de 1986, de la

---

1   Este informe ha sido redactado en mayo de 1991.

2   El Distrito Federal abarca toda la ciudad de México y sus alrededores.

Convención de la ONU contra la Tortura y Otros Tratos y Penas Crueles, Inhumanos o Degradantes. Posteriormente, el Congreso mexicano aprobó la Ley Federal para Prevenir y Sancionar la Tortura, que tipificaba como delito la tortura cometida por agentes encargados de hacer cumplir la ley y preveía penas de prisión para quienes fueran declarados culpables. A pesar de estas medidas, Amnistía Internacional siguió recibiendo un número cada vez mayor de informes que indicaban la amplitud de la tortura. En 1986, la organización publicó un informe sobre violaciones de derechos humanos en las zonas rurales de Oaxaca y Chiapas[3], donde campesinos e indígenas eran víctimas de homicidios políticos, desapariciones, torturas y encarcelamiento por falsos cargos criminales.

Después de la toma de posesión del presidente Carlos Salinas de Gortari, en diciembre de 1988, el gobierno emprendió una política para reforzar el «orden público». Se adoptaron medidas para abordar la corrupción en varias esferas, incluyendo el fraude y la implicación oficial en el narcotráfico; cerca del 30 por ciento de los agentes de la policía del estado de Sinaloa fueron despedidos por sus conexiones con el narcotráfico. También se abordaron algunas violaciones de derechos humanos. En junio de 1989, José Antonio Zorrilla Pérez, jefe de la policía de seguridad durante el mandato presidencial de Miguel de la Madrid, fue detenido en relación con el asesinato, en 1984, del periodista Manuel Buendía, que por aquellas fechas había comenzado a revelar la implicación del primero en el narcotráfico. Por otra parte, durante 1989 y principios de 1990 el gobierno hizo una serie de declaraciones públicas en las que prohibía la tortura.

Entre mayo y junio de 1990, una delegación de Amnistía Internacional visitó México para evaluar los continuos informes de violaciones de derechos humanos cometidas por miembros de los organismos mexicanos encargados de hacer cumplir la ley y de las fuerzas armadas. La delegación entrevistó a decenas de personas que habían sufrido o sido testigos de violaciones de derechos humanos como actos de hostigamiento, detenciones ilegales, malos tratos, homicidios arbitrarios, ejecuciones extrajudiciales, desapariciones y, principalmente, torturas. Gran parte de la información contenida en este informe, que se centra específicamente en la tortura y los malos tratos, se desprende de las conclusiones de la delegación de Amnistía Internacional, actualizadas con informes que la organización sigue recibiendo de México. Además de las propias investigaciones de Amnistía Internacional, la labor de indagación que realizan organizaciones independientes que siguen la situación de los derechos humanos en México y de otras organizaciones internacionales de derechos humanos, ha proporcionado asimismo pruebas de la amplitud con que se practica la tortura en ese país. En julio de 1990, la Barra de Abogados del estado de Campeche declaró a la prensa que el 99 por ciento de los presuntos delincuentes comunes detenidos en el estado había sufrido torturas o malos tratos. El presidente del Colegio de Abogados, Wilberth Ortiz Cabañas, afirmó que la tortura se utilizaba regularmente para obtener confesiones, y que las autoridades no respondían, por lo general, a las denuncias de que los procesados habían confesado bajo coacción. En agosto de 1990, el Centro Bi-Nacional de Derechos Humanos, con sede en Tijuana, publicó una encuesta realizada a decenas de presos de La Mesa, penitenciaría del estado de Baja California Norte. El estudio concluía que el 99 por ciento de los reclusos había sufrido torturas o malos tratos a manos de agentes de policía después de su arresto. La mitad de ellos declaró que eran inocentes de los cargos que se les imputaban, pero que habían confesado debido a las torturas.

---

3   Los derechos humanos en México en las zonas rurales. ISBN 0/86210/098/4. Índice AI: AMR 41/07/86/s.

La creciente conciencia pública de todo lo relativo a los derechos humanos en México ha fomentado la creación de organizaciones independientes dedicadas a la protección y promoción de estos derechos. En numerosos estados mexicanos, y especialmente en las zonas rurales remotas, estas organizaciones son la fuente de información más importante sobre las violaciones de derechos humanos. Además, las organizaciones independientes de derechos humanos vienen desempeñando un importante papel proporcionando auxilio a las víctimas que buscan una reparación. Esta labor no se realiza sin riesgo. Casi nadie duda que Norma Corona Sapién fue asesinada debido a sus indagaciones sobre graves violaciones de derechos humanos. Varias de las personas que siguen la situación de estos derechos en otros estados mexicanos también han recibido amenazas de muerte por su trabajo.

Las víctimas de la tortura no se circunscriben a sectores específicos de la población. Incluyen personas detenidas por motivos políticos o en el contexto de conflictos de tierras; activistas de derechos humanos y personas que tratan de investigar las violaciones de estos derechos; sospechosos de siembra de estupefacientes[4] o de narcotráfico, y otros presuntos delincuentes comunes. Han torturado a mujeres y a niños. Y la policía ha detenido y torturado a miembros de otras unidades policiales y a guardias penitenciarios. Según se ha denunciado, hasta el director de una prisión ha sido torturado.

Los mismos métodos de tortura se utilizan por todo México y, en muchos casos denunciados a Amnistía Internacional, han tenido consecuencias mortales. Son métodos brutales: un adolescente recibió una paliza tan salvaje que, según su madre, apenas reaccionó cuando le arrancaron dos uñas de los pies.

Lo habitual, a tenor de lo que establecen centenares de casos, es que, cuando la policía se ve presionada para resolver un delito concreto, detiene a sospechosos de estar implicados en actividades políticas o delictivas o bien aprehende a personas en la calle al azar, las obliga a confesarse autores de delitos comunes bajo tortura e incomunicación, y logra que las condenen presentando dichas confesiones ante el tribunal. Los tribunales mexicanos admiten frecuentemente como prueba las confesiones realizadas bajo tortura de los acusados de delitos comunes, a pesar de que está terminantemente prohibido en la legislación nacional e internacional.

La tortura está muy difundida y, sin embargo, la ley mexicana y las normas internacionales de derechos humanos que el Estado mexicano ha jurado respetar la prohíben absolutamente en cualquier circunstancia. Las leyes federales y estatales contienen también, por su parte, amplias disposiciones para prevenirla y sancionarla, y las más altas instancias del gobierno la han condenado. En la ceremonia inaugural de la Comisión Nacional de Derechos Humanos, celebrada el 6 de junio de 1990, el presidente Carlos Salinas de Gortari prometió: «... enfrentaremos las nuevas amenazas a los derechos humanos, provengan de donde provengan [...] la línea política del gobierno de la República es defender los derechos humanos y sancionar a quien los lastime; es acabar tajantemente con toda forma de impunidad». La nueva comisión se creó para investigar casos de violaciones de derechos humanos y formular recomendaciones de acción al respecto, pero carece de los amplios poderes de investigación y de la autoridad constitucional necesarios para realizar efectivamente estas tareas.

Amnistía Internacional considera que el motivo principal por el que la tortura sigue siendo tan generalizada es la inmunidad procesal de que gozan en la práctica los agentes encargados de hacer cumplir la ley que cometen el delito de tortura.

---

4 Cultivo de estupefacientes.

En los últimos años, los organismos oficiales, los grupos independientes de derechos humanos y Amnistía Internacional han recibido denuncias de cientos de casos de tortura perpetrados por agentes encargados de hacer cumplir la ley, principalmente miembros de las fuerzas policiales federales y estatales. A pesar de que muchos de estos casos están documentados con pruebas testimoniales, médicas y forenses, los responsables apenas han sido objeto de investigaciones y, más raramente aún, han sido procesados por el delito de tortura.

El uso continuado y generalizado de la tortura, pese a su prohibición desde las más altas instancias del gobierno, debe poner en duda la voluntad política que subyace en el compromiso público del gobierno de poner fin a esta práctica. Aunque Amnistía Internacional acoge con satisfacción los pasos que ha dado el gobierno mexicano para abordar esta cuestión, estas medidas no han eliminado la práctica de la tortura y de los malos tratos en México. Los responsables siguen beneficiándose de la impunidad.

La tortura: víctimas, autores, circunstancias y métodos

Las víctimas de la tortura en México proceden de casi todos los sectores sociales, aunque, generalmente, pertenecen a los más pobres. En su mayor parte son varones, pero también han sufrido torturas brutales las mujeres y los niños. Casi todos son torturados en relación con investigaciones criminales o con operaciones policiales contra el narcotráfico. Muchas de las víctimas de la tortura son activistas políticos –en los últimos años se han intensificado los ataques contra los opositores políticos del gobierno– y sindicalistas. Algunas son activistas de derechos humanos en el sentido más amplio del término: familiares de víctimas que buscan reparación. La tortura está ampliamente difundida en las áreas rurales, aunque la lejanía de éstas hace que esté menos documentada que en las áreas urbanas. Los activistas campesinos e indígenas, a menudo implicados en luchas por los derechos sobre las tierras, son con frecuencia sus víctimas. Hasta los agentes de policía han sufrido torturas. El 17 de enero de 1990, el procurador general de Justicia del Distrito Federal ordenó la investigación de un incidente en el que 12 agentes de la policía judicial federal presuntamente secuestraron y torturaron a dos miembros de la policía judicial uniformada del estado. Los 12 agentes fueron suspendidos en sus funciones a la espera de los resultados de la investigación del Ministerio Público. Aunque el procurador general del Distrito Federal declaró que serían expulsados del cuerpo y procesados, pasado más de un año seguían sin producirse novedades.

En la mayoría de los casos, las víctimas son torturadas para obligarlas a confesarse culpables de delitos criminales. También se ha torturado a personas para disuadirlas de presentar denuncia contra la policía, para forzarlas a dar información sobre sospechosos y, en algunos casos, como forma de extorsión para obtener dinero de ellas. El 20 de marzo de 1990, tres agentes de la policía judicial federal detuvieron en la ciudad de Culiacán a Óscar Humberto Castro Rodríguez, agricultor de Bellavista de Culiancito, Sinaloa, y lo condujeron a la Procuraduría General de la República, donde lo torturaron hasta que accedió a pagarles 20 millones de pesos (aproximadamente 7.000 dólares estadounidenses). Puesto en libertad al día siguiente, declaró que los policías lo habían amenazado con matarle si denunciaba el trato recibido. A pesar de ello, Óscar Castro presentó una denuncia oficial ante la Procuraduría General del Estado y pidió protección a las autoridades estatales. También llevó su caso hasta la Comisión Nacional de Derechos Humanos, que el 18 de junio de 1990 recomendó se destituyera de sus cargos a dos de los policías y sugirió se ordenara su prisión. Sin embargo, hasta la fecha, mayo de 1991, éstos no han sido puestos aún a disposición de la justicia.

Según consta en los informes, la tortura comienza a menudo en el momento de la detención y es un ingrediente habitual del interrogatorio, durante el cual la víctima suele estar en régimen de incomunicación. Por lo general, la tortura continúa hasta que se consigue una confesión del detenido.

Las víctimas de la tortura

Niños

«Y me amarraron los dedos de los pies, dos alambres uno en cada pie (en los dedos gordos de los pies), sobraron dos alambres y cuando los unían yo sentía que me encogía de los toques [...] pero antes de eso me pusieron un trapo y un judicial[5] me estaba agarrando por atrás y me dijeron que no metiera la lengua porque me la iba a mochar la electricidad, me pusieron un trapo y me lo jalaban.»

Éste es el testimonio de un muchacho de 17 años que denunció haber sido torturado por la policía judicial estatal en Tijuana, estado de Baja California Norte. Se han denunciado con frecuencia torturas a niños durante interrogatorios sobre delitos comunes. Las víctimas suelen proceder de los sectores sociales más desfavorecidos: adolescentes sin hogar, niños de familias pobres urbanas y jóvenes inmigrantes rurales procedentes del interior del país, que no tienen ni dinero ni medios de evitar los abu-

Fernando Nava González, de 16 años de edad, declaró que le pegaron reiteradamente en la cara después de ser detenido por la policía judicial del estado el 17 de enero de 1990, en la ciudad de Tijuana. El detenido ingresó en prisión acusado de robo.

sos. Los métodos de tortura descritos incluyen palizas y flagelación con cinturones, tortura eléctrica, semi-asfixia con agua y con bolsas de plástico en la cabeza, introducción de agua mineral en las fosas nasales y abusos sexuales. Los niños también han sido víctimas de prisión ilegal y de torturas en La Mesa, penitenciaría estatal para adultos en Tijuana. En abril de 1990, tres menores recluidos en las celdas de castigo de La Mesa denunciaron haber sido torturados. Uno de ellos, una muchacha de 16 años embarazada de dos meses, sufrió una fractura nasal a consecuencia de las palizas que, según declaró, le propinaron agentes de la policía federal. Debido a la publicidad que recibió el caso, fue trasladada a una prisión de mujeres. En mayo de 1990 se abrió una investigación oficial sobre las denuncias de torturas y malos tratos a niños en Tijuana, pero al cierre de esta publicación, no se ha detenido ni suspendido en sus funciones a los supuestos responsables.

Las torturas y malos tratos a niños se han denunciado con frecuencia en el estado de Baja California Norte. En 1988, el Centro Bi-Nacional de Derechos Humanos, organización de carácter independiente con sede en Tijuana, publicó un informe sobre torturas y malos tratos a 108 menores de entre 9 y 17 años infligidos por la policía judicial estatal y federal, así como por la policía municipal, en el estado de Baja California Norte, que abarcaba un periodo de cinco meses. Pese a la presentación de denuncias formales en algunos de estos casos y a la amplia publicidad que recibieron, no se sabe que se haya iniciado ninguna acción contra los implicados en los abusos.

---

5   Agente de la policía judicial.

También se han recibido denuncias de torturas a niños en otros estados. El 22 de enero de 1990, miembros de la policía estatal detuvieron a cinco niños y a un adulto en Simojovel, estado de Chiapas, cuando vendían café. Los detenidos fueron llevados al auditorio municipal, donde parece ser que los torturaron: les introdujeron la cabeza en el inodoro y los amenazaron con pistolas para obligarles a confesar que se dedicaban a la «siembra de estupefacientes». Los detenidos fueron puestos en libertad sin cargos ese mismo día. El caso recibió una gran publicidad en los medios de comunicación locales, pero, que se sepa, no se han dado a conocer detalles de ninguna investigación al respecto.

En noviembre de 1989, los habitantes de Topilejo, estado de México, presentaron una denuncia oficial exponiendo que unos agentes de la Policía Federal de Caminos habían matado a un campesino y detenido y torturado a otros tres, después de haberlos aprehendido por sospecha de robo. Dos de las víctimas eran niños, Miguel Ángel García Chávez y Arturo Monroy, quienes denunciaron que, después de ser detenidos el 20 de noviembre, los torturaron dándoles palizas, puntapiés y golpes, les introdujeron agua mineral en las fosas nasales y los amenazaron con hacerles desaparecer para obligarles a firmar unas declaraciones en blanco. Los policías implicados fueron detenidos y acusados formalmente de abuso de autoridad, aunque posteriormente salieron en libertad bajo fianza. En mayo de 1991 no se sabía de nuevas acciones emprendidas al respecto.

Joaquín Capetillo Santana fue detenido por agentes de la policía judicial estatal bajo sospecha de robo el 10 de mayo de 1986 en Villahermosa, estado de Tabasco. Tenía 13 años de edad. Durante los días siguientes parece ser que lo torturaron reiteradamente en las dependencias de la policía local y lo obligaron a confesarse autor de varios delitos. Al parecer, la tortura consistió en palizas, semi-asfixia con agua y descargas eléctricas en varias partes del cuerpo, incluyendo los testículos.

El 19 de mayo de 1986 la policía lo presentó ante los medios de comunicación como un delincuente peligroso y lo trasladó a la prisión local para adultos, el Centro de Readaptación Social, en lugar de al Consejo Educativo Tutelar de Menores.

Cuando se redactan estas líneas, Joaquín Capetillo Santana sigue recluido en el Centro de Readaptación Social de Villahermosa, en espera de juicio. Según informes, durante el tiempo que lleva encarcelado ha recibido palizas y amenazas, tanto de los guardias de la prisión como de presos adultos.

La Constitución mexicana establece que, cuando la pena prevista para el delito es inferior a dos años de prisión, los reclusos han de ser juzgados en el plazo de cuatro meses desde su detención, plazo que es de un año si la pena máxima es superior. La Constitución prohíbe asimismo el encarcelamiento de menores en centros de adultos.

Activistas políticos

Se han denunciado con frecuencia detenciones arbitrarias y torturas de críticos y opositores políticos del gobierno.

Martín Sebastián Peña Mejía, miembro del Partido de la Revolución Democrática (PRD), fundado en 1989, fue detenido sin orden judicial el 9 de febrero de 1990 en Jonacatepec, estado de Morelos, y permaneció cinco días incomunicado bajo custodia de la policía del estado.

Posteriormente declaró que la policía lo golpeó y lo torturó semi-asfixiándolo e introduciéndole agua en la nariz, y que lo amenazó para que se confesara autor de varios delitos. El informe sobre el estado físico de Martín Sebastián Peña Mejía derivado del examen forense a que se lo sometió 10 días después de su detención es congruente con sus denuncias de tortura. En una de las varias ocasiones en que lo amenazaron, uno de sus torturadores le dijo al parecer que sufriría «igual suerte que esos pinches políticos», refiriéndose a Timoteo Mardonio Estudillo Piña, Esteban Morales y Marcos Rivera, asesinados en 1989 y 1990, y a José Ramón García Gómez, que desapareció en 1989. En los cuatro casos se denunció la implicación oficial. Según consta en los informes, Martín Sebastián Peña Mejía fue detenido y torturado debido a sus actividades políticas. Salió en libertad sin cargos después de que varios simpatizantes locales organizaran una marcha a las dependencias policiales de Jonacatepec, donde estaba detenido, y pidieran se reconociera su detención.

El 14 de febrero, Martín Sebastián Peña presentó una denuncia formal sobre su detención y tortura ante las autoridades locales. En mayo de 1991, Amnistía Internacional no había recibido noticias de que se hubieran abierto investigaciones sobre su caso.

En marzo de 1990, un dirigente del PRD en el estado de Guerrero fue excarcelado por orden del gobernador del estado después de denunciar que lo habían obligado bajo tortura a confesarse autor de unos delitos que no había cometido. Eloy Cisneros Guillén alegó que, el 6 de marzo de 1990, la policía del estado los detuvo a él y a su hermano Ladislao sin la preceptiva orden judicial en Acapulco, capital del estado, y los golpeó y torturó hasta casi asfixiarlos. Eloy Cisneros declaró asimismo que lo habían obligado a hacer una declaración en ausencia de un abogado. Posteriormente ingresó, junto con su hermano, en el Centro de Readaptación Social de Acapulco. El director de este establecimiento admitió que Eloy Cisneros Guillén tuvo que ser hospitalizado el día de su llegada y que, según el informe médico, tenía algunas magulladuras. Aunque los hermanos Cisneros fueron puestos en libertad sin cargos por orden del gobernador del estado, cuando se redactan estas líneas no se habían recibido noticias de que se hubiera emprendido investigación alguna sobre sus denuncias de tortura.

También han sufrido torturas los estudiantes. Según informes, Gastón González Gutiérrez, dirigente estudiantil de la Facultad de Derecho de la Universidad Autónoma del estado de Tamaulipas, fue detenido por la policía judicial del estado en Tampico en marzo de 1990. Gastón González afirma que, mientras estaba detenido, lo golpearon y lo amenazaron para obligarle a confesarse autor de un asesinato. Al parecer, otros tres estudiantes, Eduardo Martínez Szymanski, Miguel González Gutiérrez e Ignacio Ramírez, se confesaron culpables de éste bajo tortura. En mayo de 1991 no se había anunciado ninguna investigación sobre sus denuncias de tortura.

Sindicalistas

También han sido detenidos e interrogados bajo tortura sobre sus actividades los activistas sindicales. Según los informes, en diciembre de 1989, dos profesores, ambos miembros activos del Sindicato Nacional de Trabajadores de la Educación (SNTE) en Tuxtla Gutiérrez, estado de Chiapas, fueron detenidos y torturados por miembros de la policía judicial federal. Rubicel Einstein Ruiz Gamboa, de 29 años, y Óscar de Jesús Peña Esquinca, de 36, líderes ambos de una rama disidente del sindicato, habían participado en una manifestación celebrada en noviembre ante las oficinas de la Secretaría de Educación Pública del estado en Tuxtla Gutiérrez y se los consideraba, junto con otros activistas sindicales, responsables de los disturbios que se produjeron durante el acto.

Los profesores declararon que, el 15 de diciembre, unos cinco o seis agentes de policía los detuvieron sin orden judicial en Tuxtla Gutiérrez y los obligaron a subir a un vehículo sin placas de matrícula. Ambos afirmaron que estuvieron encapuchados y que los golpearon y amena-

Rubicel Einstein Ruiz Gamboa, uno de los dos profesores detenidos y presuntamente torturados tras participar en una protesta sindical. Estuvieron detenidos cinco meses.

Un cartel exige la libertad de los profesores. Los cargos fueron retirados después de la campaña emprendida por las ramas locales del sindicato de educadores.

zaron todo el tiempo que duró su traslado. Sus secuestradores se identificaron como miembros de la policía federal e interrogaron a los profesores acerca de una lista de otros activistas sindicales.

Según los detenidos, los llevaron a un lugar situado en el campo, que reconocieron como el «Cañón del sumidero» del río Grijalba, y ahí los amenazaron con arrojarlos al precipicio por sus actividades sindicales. Después los condujeron a la Procuraduría General de Tuxtla Gutiérrez, donde se dictaron contra ellos sendas órdenes de detención por daños a la propiedad federal, agresión y robo, acusaciones que los detenidos negaron. Luego fueron trasladados a la prisión estatal de Cerro Hueco, en Tuxtla Gutiérrez, donde permanecieron los cinco meses siguientes. Una vez en prisión no volvieron a sufrir malos tratos, pero parece que cuando pidieron ser sometidos a un examen médico para certificar el trato de que habían sido objeto la petición fue denegada.

Los profesores fueron puestos en libertad el 26 de mayo de 1990, al desistir de la acción penal la Secretaría de Educación Pública del estado. Sin embargo, al cierre de esta publicación, no se habían recibido noticias de que se hubieran investigado sus denuncias de tortura.

Otro caso es el de nueve profesores del estado de Michoacán que aguardan juicio por daños a la propiedad federal, robo y agresión, acusaciones que, al parecer, se basan únicamente en confesiones realizadas bajo tortura.

Estos nueve enseñantes formaban parte de un grupo de 102 miembros de la sección local del SNTE detenidos en Morelia el 3 de julio de 1990, en el curso de una manifestación en la que pedían subidas salariales y protestaban contra la política educativa oficial de su sindicato, que, en su opinión, favorecía al gobierno. Durante el acto, los profesores rodearon las oficinas de la Secretaría de Educación Pública del estado, ocuparon los locales del SNTE de Morelia y presuntamente hostigaron a dos representantes de la sede nacional del sindicato que se encontraban de visita.

Según los informes, la policía judicial federal y estatal detuvo a los 102 profesores, que estuvieron dos días en régimen de incomunicación en las dependencias de la policía del estado, periodo en el que parece ser que los interrogaron sobre sus actividades políticas y muchos fueron torturados y amenazados de muerte.

La mayoría de los enseñantes salieron en libertad sin cargos. Diecisiete ingresaron el 6 de julio en el Centro de Readaptación Social de Morelia (la prisión estatal), bajo acusaciones basadas, al parecer, únicamente en sus confesiones. El 6 de agosto siguiente se retiraron los cargos formulados contra ocho de ellos, que fueron excarcelados.

Amnistía Internacional ha visto los informes médicos sobre algunos de los profesores que salieron en libertad sin cargos, cuyas conclusiones son congruentes con las torturas descritas, principalmente golpes y semi-asfixia con bolsas de plástico.

Los nueve profesores que siguen encarcelados pendientes de las actuaciones legales son miembros activos de la sección local del SNTE. Al cierre de esta publicación, en mayo de 1991, no se sabía de la apertura de ninguna investigación sobre las denuncias de tortura de los profesores, ni se había acusado formalmente de los abusos a ningún policía.

Braulio Aguilar Reyes, de 23 años de edad y activista de un sindicato independiente, fue detenido el 29 de abril de 1991 en las afueras de la ciudad de México por dos hombres armados no identificados que interceptaron el vehículo en el que viajaba. Según su hermana, María Alejandra Aguilar, que iba con él en el automóvil, los hombres obligaron a Braulio Aguilar Reyes a bajarse de éste sin mediar ninguna explicación y se lo llevaron en otro vehículo. La denuncia de este secuestro indignó a la opinión pública, que exigió su liberación y seguridad.

El paradero de Braulio Aguilar Reyes no se supo hasta el día siguiente, cuando sus familiares recibieron una llamada de una persona que dijo haberlo visto detenido en la Delegación Miguel Hidalgo, dependencias de la policía judicial del Distrito Federal en la ciudad de México.

La detención fue reconocida después de que sus familiares presentaran una denuncia oficial y Braulio Aguilar salió en libertad a medianoche. Según se informa, había estado incomunicado y sin que le explicaran el motivo de la detención. Al parecer, lo torturaron con palizas, golpes y puntapiés, lo que le causó múltiples magulladuras, lesiones en la columna y la rotura de un tímpano, para las que tuvo que recibir tratamiento médico urgente una vez en libertad. Parece ser que también lo amenazaron por sus actividades políticas.

Después de que Braulio Aguilar Reyes saliera en libertad, fueron detenidos dos agentes de la policía judicial del Distrito Federal supuestamente implicados en las torturas. Al cierre de esta publicación, se desconocía aún su situación legal. Los familiares de Braulio Aguilar Reyes han pedido que se investiguen las actividades de otros presuntos implicados en su secuestro y torturas. Según los informes, Braulio Aguilar Reyes y su hermano Gustavo, también sindicalista independiente, habían recibido varias amenazas de miembros del Sindicato de Trabajadores Petroleros de la República Mexicana, de carácter oficial, debido al destacado papel que desempeñaban en un movimiento sindical de base que exigía una indemnización adecuada para los ex empleados de la Refinería 18 de Marzo. Estos trabajadores perdieron su puesto de trabajo cuando, en marzo de 1991, las autoridades cerraron la refinería, situada en las afueras de la ciudad de México, como parte de una serie de actos que recibieron una gran publicidad, y que iban destinados a reducir la contaminación en la ciudad de México, de conformidad con las medidas medioambientales que exigía la propuesta NAFTA (Acuerdo Norteamericano de Libre Comercio, entre México, EE UU y Canadá).

Activistas de derechos humanos

Salomón Mendoza Barajas, alcalde de Aguililla, estado de Michoacán, y miembro del PRD, fue detenido y presuntamente torturado por denunciar las violaciones de derechos humanos cometidas durante unas operaciones contra el narcotráfico realizadas en su región. Los hechos que llevaron a su detención comenzaron el 5 de mayo de 1990, fecha en que unos agentes del escuadrón antinarcóticos de la policía federal allanaron la comunidad campesina de Ayacata, en el término municipal de Aguililla. Según los informes, se produjo un enfrentamiento armado entre la policía y los campesinos en el que habían perdido la vida un niño de cinco años y un policía. Al día siguiente, agentes de la policía federal allanaron la ciudad de Aguililla para detener a los responsables de la muerte del agente y aprehendieron a 55 personas, una de las cuales, según se reveló después, murió estando bajo su custodia.

Después del allanamiento, Salomón Mendoza Barajas acudió al cuartel militar donde tiene su sede la policía federal para denunciar ante su comandante los abusos de que habían sido objeto los habitantes de Aguililla. Según su testimonio, lo detuvieron allí mismo, sin mandamiento judicial, y lo torturaron en las instalaciones militares estando bajo custodia policial. Al parecer, primero le pegaron en la cara y en los testículos y luego, con los ojos vendados y atado, lo llevaron a una habitación donde lo arrojaron al suelo y le dieron puntapiés y le pisaron repetidamente; después le pusieron una bolsa de plástico en la cabeza mientras le propinaban puñetazos en la cara y en el estómago.

Ese mismo día, Salomón Mendoza Barajas fue trasladado a la ciudad de México. Simultáneamente, agentes de la policía federal registraron su vivienda en Aguililla y, según su esposa, María del Carmen Contreras Cervantes, "encontraron" una bolsita de plástico –llevada por la propia policía– que contenía semillas y un polvo blanco, que se llevaron como prueba. María del Carmen Contreras afirmó que los agentes regresaron al día siguiente con más drogas y armas que pusieron en un armario de la casa y luego fotografiaron.

En la ciudad de México, Salomón Mendoza Barajas estuvo dos días en una celda de la Procuraduría General de la República, donde, según dijo, la policía lo maltrató y lo obligó a firmar unos documentos cuyo contenido desconocía. Posteriormente lo trasladaron al Reclusorio Preventivo Oriente de la ciudad de México, y ahí supo que había firmado una confesión en la que se declaraba culpable de asesinato, posesión ilegal de armas y asociación delictuosa en el narcotráfico. El 13 de mayo se dictó contra él auto de formal prisión[6] por dichos cargos.

Los delegados de Amnistía Internacional que visitaron México en mayo de 1990 entrevistaron y sometieron a Salomón Mendoza Barajas a un examen médico cuyas conclusiones[7] eran congruentes con las torturas que denunció.

El caso de Salomón Mendoza Barajas fue uno de los varios sobre los que Amnistía Internacional expresó preocupación en una reunión mantenida con un representante de la Comisión Nacional de Derechos Humanos, de carácter gubernamental, que visitó la sede de la organización en Londres en noviembre de 1990. El 28 de noviembre de 1990, la Comisión Nacional de Derechos Humanos publicó un informe sobre los abusos que sufrieron los habitantes

---

6   Prisión preventiva.

7   Según el médico que lo examinó, Salomón Mendoza Barajas sufría una reducción de la motricidad del hombro derecho y dolor agudo crónico en el mismo a consecuencia de un traumatismo causado por un instrumento contundente, una ligera parálisis de las extremidades inferiores congruente con lesiones en la parte inferior de la columna vertebral; y cicatrices recientes en la parte superior de la nariz, así como otras en la muñeca izquierda causadas con toda probabilidad por lesiones abrasivas.

de Aguililla en mayo y formuló una serie de recomendaciones a la Procuraduría General. Una de ellas era que se retiraran los cargos y se pusiera en libertad incondicional a Salomón Mendoza Barajas y a otras tres personas detenidas durante el allanamiento: Javier Rosiles Martínez, Magdaleno Vera García y Carlos Valencia Morfín. La Comisión recomendaba asimismo que se retiraran los cargos de narcotráfico imputados a Francisco Valencia Vargas, Luis Elisea Valencia, Jerónimo Madrigal Guízar, Francisco Pérez Alcázar, Miguel Pérez Alcázar y Luis Revueltas González, todos ellos ya en libertad pendientes del juicio. Por otra parte, la Comisión solicitaba que se investigaran los abusos supuestamente cometidos por la policía judicial federal en Aguililla y que los responsables comparecieran ante la justicia.

El 10 de diciembre de 1990 la Procuraduría General de la República desistió de la acción penal contra Salomón Mendoza Barajas y Javier Rosiles Martínez, y ambos salieron en libertad. No se retiraron, en cambio, los cargos formulados contra los demás reclusos, dos de los cuales, Carlos Valencia Morfín y Magdaleno Vera García, siguen en prisión en espera de juicio. Al cierre de esta publicación, no se había anunciado ninguna investigación judicial sobre los abusos ni se había acusado formalmente a los agentes de la policía federal implicados.

Según los informes recibidos, el alcalde Salomón Mendoza Barajas fue torturado brutalmente y acusado de delitos contra la salud pública (delitos relacionados con estupefacientes) y de asesinato después de que denunciara las detenciones arbitrarias y el hostigamiento policial. Salió en libertad gracias a una campaña pública en su favor y sigue luchando por los derechos humanos.

Activistas campesinos e indígenas

La tortura en el medio rural mexicano viene siendo motivo de denuncias desde hace muchos años y ya fue objeto de un informe de Amnistía Internacional en 1986. Tanto entonces como ahora, muchas de las víctimas son campesinos e indígenas que luchan activamente por los derechos sobre las tierras.

Zócimo Centeno Hernández, campesino de 23 años y participante activo en campañas por los derechos agrarios en Ilamatlán, estado de Veracruz, está actualmente pendiente de juicio acusado de asociación delictuosa, cargo basado en una confesión que, según el interesado, hizo bajo tortura.

En noviembre de 1989 la policía del estado lo detuvo y lo llevó primero a una vivienda particular en Ilamatlán. Ahí, afirma la víctima, lo interrogaron sobre varios delitos, incluyendo el asesinato de Pedro Hernández, un activista campesino local. Zócimo Centeno declaró que lo golpearon en el abdomen y en los genitales, que casi lo asfixiaron con agua y que le taparon la cabeza con una bolsa de plástico. Después lo llevaron a la cárcel local de Ilamatlán, donde, afirma, siguieron torturándolo con golpes, semi-asfixia y descargas eléctricas hasta que accedió a firmar una declaración en la que se autoinculpaba en una serie de asesinatos. Desde Ilamatlán le condujeron a Huayacocotla, donde, en el cuartel de la policía, le hicieron preguntas sobre su participación en organizaciones campesinas y lo amenazaron con hacerlo "desaparecer". Finalmente, fue llevado a las dependencias de la policía del estado de Jalapa, donde, según denuncia, lo torturaron de nuevo y lo interrogaron sobre su implicación en actividades políticas.

En la actualidad, Zócimo Centeno está en la prisión de Huayacocotla en espera de juicio. El recluso cree que el motivo por el que fue detenido, torturado y acusado fue su intervención en disputas de tierras y afirma que tiene una coartada que prueba su inocencia en el asesinato de Pedro Hernández. La defensa de Zócimo Centeno corre a cargo de un abogado de oficio. Al parecer, su declaración se esgrimirá como prueba en su contra.

También han sido objeto de torturas y malos tratos las campesinas. Entre los 15 miembros de la Unión de Colonias Populares de Irapuato (UCOPI), organización destacada en la defensa de los derechos a las tierras de los campesinos de Irapuato, estado de Guanajuato, a quienes la policía de Seguridad Pública tuvo detenidos por espacio de varias horas en enero de 1990, había dos mujeres embarazadas. Los detenidos declararon que los torturaron, los amenazaron de muerte y los obligaron a poner sus huellas digitales en declaraciones que no pudieron leer por ser analfabetos. Todos fueron puestos en libertad sin cargos. Por su parte, las dos mujeres afirmaron que, durante el tiempo que estuvieron detenidas, les pegaron en el estómago, lo que, al parecer, provocó el aborto de una de ellas, Amalia Chávez Negrete. También se informa que a otra mujer la encerraron en una habitación, la dejaron medio desnuda y luego la echaron a la calle en prendas menores. A los hombres les advirtieron que cuidaran de las mujeres si no querían que las violasen. En marzo de 1990, el líder de la UCOPI Eduardo Martín Negrete acusó públicamente a un funcionario de haber ordenado los abusos cometidos en Irapuato en enero, y afirmó que los dirigentes de la UCOPI habían sufrido actos de hostigamiento y amenazas de muerte. No se sabe que se haya abierto ninguna investigación sobre estos sucesos.

Por otra parte, se han recibido frecuentes denuncias de torturas de indígenas y, en especial, de miembros destacados de sus organizaciones. El 11 de septiembre de 1988, Juan Martínez Pérez, líder del Movimiento de Unificación y Lucha Triqui (MULT) en la región triqui de San Juan Copala, estado de Oaxaca, fue detenido por miembros de la policía preventiva (una sección de la policía del estado) y acusado de asesinato. Al parecer, los agentes, que no mostraron ninguna orden de detención, le pegaron en la cabeza con sus armas y detuvieron también a otro líder del MULT, Margarito Méndez Hernández. La policía entregó a ambos dirigentes a un grupo de pistoleros civiles y soldados del 48 batallón con base en San Juan Copala, que les llevaron a Juxtlahuaca. Allí fueron entregados, a su vez, a la policía judicial del estado para que los trasladara a la capital de éste, Oaxaca. En el trayecto, la policía se detuvo en un estacionamiento donde, al parecer, torturó a los detenidos golpeándolos y amenazándolos con arrojarlos por un acantilado, presuntamente por sus actividades en el MULT. En Oaxaca, los detenidos fueron llevados a la Procuraduría General, donde los golpearon y amenazaron una vez más. Los detenidos se confesaron finalmente culpables de asesinato, según parece a consecuencia de los malos tratos, y fueron puestos a disposición de los tribunales, que ordenaron su ingreso en la penitenciaría del estado de Oaxaca. Al cierre de esta publicación, aún estaban en espera de juicio.

Otro líder del MULT de San Juan Copala, Mateo Franciso Bautista, fue detenido el mismo día, 11 de septiembre de 1988, y acusado también de asesinato. Lo llevaron a Oaxaca junto con Juan Martínez y Margarito Méndez y se cree que recibió un trato similar.

El 19 de octubre de 1989, Juan Hernández de Jesús, campesino de 50 años de edad y líder del MULT en Unión de los Ángeles, fue detenido en su domicilio por un grupo de soldados pertenecientes al 48 batallón y acusado de asesinato. Al parecer, le pegaron y amenazaron en su casa y durante su traslado a Juxtlahuaca. Juan Hernández no habla español y no le proporcionaron un intérprete en el interrogatorio. Actualmente está en la penitenciaría del estado de Oaxaca, en espera de juicio.

Familiares de víctimas

A menudo los únicos medios de que disponen las víctimas de la tortura para obtener una reparación es la ayuda de sus familiares. Muchos de los familiares que han tratado de prestar esa ayuda han sufrido amenazas, hostigamiento y, a veces, torturas. Según los informes, esto fue lo que le ocurrió a Guadalupe López Juárez, cuyo hijo Ricardo, de 19 años, murió tras ser torturado por la policía. Ricardo López, jornalero, había sido detenido en la ciudad de México el 22 de marzo de 1990 por miembros de la unidad Gustavo A. Madero de la policía judicial del Distrito Federal y acusado de secuestrar a un niño y pedir rescate por él. Estuvo detenido tres meses y fue torturado repetidamente hasta que murió, a finales de junio.

Tras su detención, Ricardo López estuvo un tiempo incomunicado y sin que se supiera su paradero. Se cree que fue entonces cuando, a consecuencia de la tortura, se confesó autor del secuestro. Cinco días después de su detención, su madre, su tía y su tío fueron también detenidos por miembros de la misma unidad policial, permaneciendo 48 horas bajo custodia durante las cuales les interrogaron sobre el paradero del niño secuestrado con golpes y amenazas.

Al mismo tiempo, la policía presentó a Ricardo López ante los medios de comunicación como el secuestrador, afirmando que había dicho dónde había ocultado el cuerpo del niño. Sin embargo, éste no había sido localizado.

Ricardo López fue acusado formalmente del secuestro basándose en su confesión, e ingresado en el Reclusorio Preventivo Norte de la ciudad de México. Ahí le siguieron torturando para obtener información sobre el paradero del niño. Cuando su madre le visitó a principios de mayo, vio que lo habían golpeado salvajemente y que parecía tener fracturada la mano izquierda. Guadalupe López dijo a los guardias de la prisión que iba a denunciar formalmente el estado en que estaba su hijo. En la madrugada del día siguiente, sin embargo, recibió la visita de unos agentes de la policía del Distrito Federal que la amenazaron de muerte si presentaba la denuncia o visitaba a su hijo. La mujer se asustó tanto que se mudó de casa.

A mediados de mayo Guadalupe López recibió una carta de su hijo en la que éste le reiteraba su inocencia y le decía que habían obtenido su confesión bajo tortura. También afirmaba que sus torturadores le habían dicho que lo iban a matar, y que tenía miedo por su familia, e imploraba a su madre que le visitara. Cuando Guadalupe López fue a verle a la prisión a principios de junio, se encontró con que no estaba ahí. Unos agentes de la policía del Distrito Judicial se lo habían llevado del Reclusorio con destino desconocido para continuar los interrogatorios. A pesar de la ilegalidad del traslado, que se había realizado sin el consentimiento del juez, Guadalupe López no presentó denuncia formal por las amenazas que había recibido el mes anterior.

El 22 de junio, un grupo de agentes armados de la policía del Distrito Federal secuestró en la calle a Guadalupe López y la hizo subir a un vehículo. Lo que sigue está tomado del testimonio de la propia víctima. Su hijo Ricardo iba en el mismo vehículo, en un estado físico deplorable. Ambos fueron conducidos, esposados y con los ojos vendados, a una casa, donde les desnudaron y les quitaron las vendas de los ojos. Sus captores les dijeron que eran agentes de policía que investigaban el secuestro. Después, madre e hijo fueron esposados a una tubería del cuarto de baño. Según Guadalupe López, en aquel momento, su hijo estaba semi-consciente y tenía quemaduras de cigarrillo en varias partes del cuerpo, heridas abiertas y un pie destrozado y fracturado. En los dos días siguientes, las víctimas sufrieron reiteradas torturas para obtener información sobre el secuestro: los introdujeron en tanques de agua conectados al suministro eléctrico y les dieron descargas eléctricas, les metieron la cabeza varias veces en un inodoro que contenía excrementos, les pegaron, los amenazaron, los quemaron con cigarrillos, les negaron comida y agua y los sometieron a simulacros de ejecución. Uno de sus torturadores era una mujer a quien reconocieron como una «madrina»[8].

Al tercer día de esta pesadilla –el 24 de junio– Ricardo López fue torturado con tal brutalidad que perdió el conocimiento varias veces y, según su madre, apenas reaccionaba a la tortura, ni siquiera cuando le arrancaron dos uñas del pie. Entonces, uno de los mandos presentes ordenó suspender la sesión. También advirtió a Guadalupe López que no presentara denuncia.

Esa noche, llevaron a Guadalupe López y a su hijo a un lugar próximo a su antigua casa y arrojaron a la mujer fuera del vehículo. Unos testigos del incidente llamaron a una ambulancia que la llevó al Hospital de Traumatología de La Villa, donde estuvo tres días inconsciente. Guadalupe López no volvió a ver con vida a su hijo.

Según los informes, Ricardo López murió en el camino de regreso a la prisión. Su cuerpo fue entregado a los funcionarios de ésta a las 11 de esa noche, 24 de junio. Al parecer, unos agentes policiales y funcionarios de la cárcel vistieron el cadáver e intentaron simular que Ricardo López se había suicidado.

En cuanto la familia supo lo ocurrido a Guadalupe López, solicitó información sobre el paradero de Ricardo a las autoridades, que se negaron a facilitar dato alguno. No obstante, el 29 de junio, y después de una intensa búsqueda, encontraron su cuerpo en el depósito de cadáveres de una oficina médica local. El cuerpo, que había sido registrado como no identificado, tenía señales de traumatismos, quemaduras y cortes, y le faltaban dos uñas del pie. El certificado de defunción establecía como causa de la muerte «asfixia por estrangulación en un sujeto politraumatizado». Guadalupe López no pudo asistir al funeral debido a las graves lesiones que le habían producido las torturas.

La familia denunció los hechos ante las autoridades y, el 29 de junio de 1990, el Fiscal Especial de la Fiscalía Especial de Homicidios y Asuntos Relevantes de la Delegación Gustavo A. Madero de la Procuraduría General del Distrito Federal fue detenido y acusado formalmente de complicidad en asesinato y ejercicio indebido de servicio público. También fueron detenidos otros tres agentes de policía bajo la acusación de infligir lesiones, abuso de autoridad y homicidio. Al cierre de esta publicación, estaban pendientes de juicio. Según declararon los demás agentes de policía, el Fiscal Especial había dado órdenes de que se ejerciera la «presión necesaria» sobre Ricardo López a fin de obtener información sobre el paradero del niño secuestrado. Sin embargo, el Fiscal Especial obtuvo la libertad bajo fianza, lo que provocó la indignación de la opinión pública, que exigía que todos los responsables comparecieran ante la justicia.

El 19 de septiembre de 1990 se formularon nuevos cargos contra el Fiscal Especial, que fue detenido de nuevo y acusado de abuso de autoridad y lesiones calificadas, aunque volvió a salir en libertad bajo fianza en enero de 1991. Finalmente, el 13 de abril de 1991 fue detenido

---

8   Confidente de la policía.

por tercera vez y acusado formalmente del asesinato de Ricardo López Juárez. El encausado afirmó que su detención era «inconstitucional», dado que le habían detenido dos veces por el mismo delito. El juez encargado del caso rechazó esta alegación y ordenó también la detención de una «madrina» supuestamente implicada en las torturas a Ricardo López Juárez. Al cierre de esta publicación, aún no se había acusado formalmente a otras personas que se cree tienen igualmente responsabilidades en la tortura y el asesinato de Ricardo López, como el director de la prisión y el jefe de seguridad de ésta.

Los familiares de Ricardo López afirmaron haber recibido varias amenazas anónimas después de denunciar formalmente el caso, lo que les llevó a solicitar públicamente al presidente Salinas, a la Procuraduría General de la República y al procurador general del Distrito Federal que tomaran medidas para poner fin al hostigamiento. Se desconoce si las autoridades hicieron algo, pero parece ser que las amenazas finalizaron varias semanas después de que se formularan las denuncias.

Agentes de la tortura

La policía

Las fuerzas que aparecen mencionadas con más frecuencia en las denuncias de torturas son la policía judicial federal y la policía judicial de los estados, que realizan investigaciones criminales bajo el mando del Ministerio Público o Fiscalía federal o estatal correspondiente. El Ministerio Público es un organismo dependiente de la Procuraduría General, que, a su vez, depende del poder ejecutivo. También se cita, aunque con menos frecuencia, a la policía preventiva estatal, la policía de seguridad pública, la policía municipal, la policía federal de caminos y la Dirección de Protección y Vialidad.

Sin embargo, es a la policía judicial federal, y en concreto a la sección que se ocupa de las investigaciones anti-narcóticos, a la que se han atribuido más violaciones de derechos humanos en todo el país, incluyendo detenciones ilegales, malos tratos, torturas, homicidios arbitrarios y ejecuciones extrajudiciales, así como actos de hostigamiento y extorsión contra los detenidos. Estos abusos son generalizados y están bien documentados, a pesar de que sus autores parecen gozar de inmunidad frente a la investigación y al procesamiento. Dicha impunidad crea, en opinión de Amnistía Internacional, un clima que propicia que los funcionarios encargados de hacer cumplir la ley sigan cometiendo violaciones de derechos humanos.

El ejército

Los soldados del ejército mexicano también han estado implicados en violaciones de derechos humanos como detenciones ilegales, torturas y homicidios arbitrarios de detenidos, especialmente en el curso de investigaciones anti-narcóticos en las zonas rurales.

Eleazar Beltrán García, que vive en la región montañosa meridional del estado de Chihuahua, fue detenido por motivos desconocidos en agosto de 1989 por una unidad militar de la base de El Tascate, en la frontera entre los estados de Chihuahua y Durango. Posteriormente presentó denuncia oficial del trato que recibió ante el Procurador de Justicia Militar y la Dirección General de Derechos Humanos, así como ante las autoridades civiles de Chihuahua y Durango.

Según su testimonio, después de detenerle, le vendaron los ojos y le ataron de pies y manos. Luego le llevaron en una camioneta descubierta al cuartel de El Tascate, donde «todavía con los ojos vendados y las manos amarradas, me desnudaron y me arrojaron botes de agua fría. Me colocaron una bolsa de plástico en la cabeza que me asfixiaba. Me pusieron una cuerda alrededor del cuello que iban apretando cada vez más fuerte; la cuerda me cubría la cabeza y sentía que me iba a reventar el cráneo. Continuaron arrojándome agua y golpeándome en diferentes partes del cuerpo, al tiempo que me amenazaban diciéndome que cuando viniera el capitán me iba a matar. Posteriormente se presentó un sujeto y me preguntó que si lo conocía. Después me di cuenta que se trataba de un civil vecino de la base militar, quien me dijo que pusiera cuidado para saber lo que me esperaba. Por la noche me pusieron una botella entre la trusa y los testículos y me golpearon arrojándome agua. Al día siguiente el civil volvió y como supuestamente yo estaba desmayado –hecho que fingí varias veces– me pateó, me echó agua, me agarró de la cabeza, introdujo agua a mi nariz, me levantó con una cuerda que puso en mi cuello, me levantó y se retiró».

Eleazar Beltrán García declaró que luego le colgaron por los brazos y los soldados le dijeron que iba a morir. Permaneció suspendido por los brazos varias horas, hasta que llegó un oficial y ordenó a los soldados que lo liberaran. El detenido lo relata de la siguiente forma: «Así me mantuvieron por algunas horas, cuando apareció un superior del subteniente. Al verme dijo que yo era una persona honesta, amonestó al subalterno y le exigió que me pusiera en libertad. Cuando me quitaron la venda de los ojos estaban tres soldados y un civil [...] Después de vestirme me volvieron a amarrar y vendar, me subieron a una pick up y me ataron con lonas y cobijas, encimaron unas llantas sobre mi cuerpo y arriba dos soldados. Transcurrió el día en movimiento, algunas veces la pick up se detuvo y cuando trataba de enderezarme me bajaban a golpes, hasta que por fin se paró la unidad y me hicieron caminar los soldados un largo trecho». Antes de ponerlo en libertad, los militares advirtieron a Eleazar Beltrán García que si denunciaba los hechos a las autoridades violarían y matarían a su esposa y a sus hijas.

Al cierre de esta publicación, Amnistía Internacional no había recibido información de que se hubieran adoptado medidas en relación con las denuncias que presentó Eleazar Beltrán García ante las autoridades.

Más recientemente, Álvaro Martínez Quiñones, de profesión campesino, fue encontrado sin vida cuatro días después de ser detenido por el ejército en Tepehuanes, estado de Durango. Lo habían detenido el 5 de marzo de 1990, en relación con un delito de estupefacientes. El ejército dijo que se había suicidado después de que lo pusieran en libertad. Los representantes locales denunciaron formalmente el caso ante el Congreso del estado, denuncia que fue trasladada a la Comisión de Justicia del Congreso. Al cierre de esta publicación, continuaban sin esclarecerse las circunstancias de la muerte de Álvaro Martínez Quiñones.

Las «madrinas»

También cometen violaciones de derechos humanos algunos civiles reclutados extraoficialmente por la policía judicial y que trabajan para ésta, a quienes se conoce con los nombres de «madrinas», «soplones» o «informantes». Estos civiles llevan armas y parece que colaboran principalmente con la policía federal. Se los considera responsables de abusos tales como detenciones ilegales, malos tratos, torturas, homicidios arbitrarios y ejecuciones extrajudiciales. Al parecer, gozan de la protección de las fuerzas policiales para las que trabajan, rara vez son procesados y son casi totalmente inmunes a los procedimientos disciplinarios de la policía. México tiene la obligación, contraída en virtud de la Convención de la ONU contra la Tortura, de perseguir a todos los funcionarios públicos o personas que, en el ejercicio de funciones públicas, inflijan torturas o instiguen o presten su consentimiento o aquiescencia a las que comentan otros.

En julio de 1989, el procurador general de San Luis Potosí declaró que su Procuraduría seguía recibiendo denuncias de abusos cometidos por agentes de la policía judicial, incluyendo a «madrinas», y por el comandante de la policía federal. El procurador se refirió a una denuncia que habían presentado los habitantes de la comunidad de Antón de los Martínez, en el término municipal de Tierra Nueva, según la cual habían llegado a la comunidad un grupo de agentes de la policía judicial federal y «madrinas» armados diciendo que buscaban a sembradores de marihuana. El grupo detuvo a cinco personas, entre ellas al jefe de la policía municipal, y, según parece, las golpearon y les introdujeron agua mineral en las fosas nasales. Amnistía Internacional no ha recibido información alguna sobre el procesamiento de los responsables.

Circunstancias de la tortura

Las torturas denunciadas se inscriben, principalmente, en el contexto de las investigaciones criminales, que incluyen las operaciones anti-narcóticos, y parece que su propósito es, sobre todo, intimidar a los detenidos y obtener confesiones. Éstas siguen teniendo un gran valor como prueba ante los tribunales y, en muchos casos llegados a conocimiento de Amnistía Internacional, han constituido la única prueba por la que se ha condenado a los procesados, a pesar de que éstos hubieran alegado que sus declaraciones de culpabilidad habían sido obtenidas bajo tortura.

Centros de tortura

La tortura se inflige habitualmente en cuarteles de policía y dependencias del Ministerio Público, pero hay informes que indican que a veces se practica, además de en los centros de reclusión oficiales, en otros lugares, como hoteles, estacionamientos de vehículos o zonas rurales desiertas.

Según los informes recibidos, por ejemplo el 18 de octubre de 1989 la policía judicial federal detuvo, sin el preceptivo mandamiento judicial, a Emiliano Olivas Madrigal, de 21 años de edad, en San Francisco de la Joya, término municipal de Guadalupe y Calvo, estado de Chihuahua, y se lo llevó a la habitación de un hotel alquilada por la policía. El detenido apareció muerto y esposado al día siguiente, cerca del hotel. Según un médico que vio el cuerpo, tenía señales en el pecho similares a las producidas por quemaduras de cigarrillos y magulladuras que podrían deberse a otras formas de tortura. El propietario del hotel dijo que los huéspedes se habían quejado por la noche de que oían gritos y golpes en una de las habitaciones. Parece ser que, después del hallazgo del cadáver, los mismos agentes de policía detuvieron a otro hombre, Enrique Luna, a quien hicieron desfilar por el pueblo con una capucha en la cabeza. Teresa Jardí, abogada y representante de la Comisión de Solidaridad y Defensa de los Derechos Humanos de Chihuahua, declaró que la autopsia de Emiliano Olivas Madrigal mostraba que éste había sido torturado brutalmente y que, según las declaraciones de los testigos, había sido arrojado desde el tercer piso del hotel. Posteriormente, tres policías de la policía federal fueron suspendidos en sus funciones, detenidos y acusados de homicidio en relación con la muerte de Emiliano Olivas Madrigal. Al cierre de esta publicación, Amnistía Internacional no tenía información de que hubieran sido juzgados y condenados.

La tortura en las operaciones anti-narcóticos

«Llegaron a las tres de la madrugada a la casa de mi compadre, [...] y tras de allanar el domicilio, golpear a mi esposa, a mi comadre y a nuestros hijos, [...] nos acusaron de narcotraficantes. A mi compadre, frente a sus hijos, le colocaron una bolsa de plástico en la cabeza. La asfixia que le provocaba era de película de terror. Estaba rojo y tenía la bolsa de plástico casi pegada a la cara. Sus hijos lloraban. Su esposa trataba de evitar que se le torturara, pero con golpes, le alejaban de su marido. A mí me pusieron las manos tras la espalda y con una cobija me taparon para empezar a golpearme. No lo creíamos. Parecía una pesadilla. "¿Dónde está la droga?", nos preguntaban acompañando su exigencia con un sinnúmero de ofensas y golpes. Ofendían a nuestras esposas [...]. Y también a ellas, como si fueran hombres, las golpeaban.»

Ésta es la descripción de un allanamiento anti-narcóticos realizado en noviembre de 1989 que hizo el abogado Antonio Partida Valdovinos, ex presidente del Colegio de Abogados de Tepic, estado de Nayarit, y ex vicepresidente de la Federación Nacional de Colegios de Abogados. Según su testimonio, tuvo que confesarse autor de delitos relacionados con estupefacientes para que la policía judicial federal dejara de asfixiar a su amigo y de pegar a las dos esposas.

El allanamiento de la casa y la detención de Antonio Partida Valdovinos y de su amigo se produjeron después de que el abogado visitara las dependencias de la policía federal en la ciudad de México para preguntar por un cliente. Antonio Partida relató así lo sucedido a los periodistas y al juez tercero de distrito ante el que compareció después de 10 días de detención en régimen de incomunicación.

Después de confesar, él y su amigo, Antonio Murray, fueron llevados a las celdas de la Procuraduría General y, el mismo día, conducidos en avión a su casa en el campo, donde había dicho a la policía que guardaba las drogas. «Viajé con el temor de que allá nos fueran a matar. No había droga. Nunca existió. [...] Cuando llegamos a la casa, acompañados de más de 40 agentes, armados hasta los dientes, mi pánico era incontrolable. [...] Entramos. Los golpes eran brutales. "¿Dónde está la droga?", me preguntaron. "Ahí", les señalé un cuarto. Entraron y –como lo sabía– no había nada. Entonces sí empezó una verdadera orgía de violencia. Todos nos golpeaban. Me tiraron al piso y empezaron a patearme al igual que a mi compadre. A mí me tomaron de los pies y, con una bolsa de plástico cubriéndome la cabeza, me metieron a la alberca. [...] Así fueron horas y horas. [...] Esperaban, según ellos, a nuestros cómplices, que nunca llegaron, porque sencillamente no existen. Al regreso a la ciudad de México, antes de subir al avión, nos dijeron que nos tirarían en el aire. "Nadie sabe de ustedes, ni de nosotros. Lo mismo les va a pasar a sus familias".»

Los dos hombres fueron acusados de delitos relacionados con estupefacientes, basándose aparentemente en sus confesiones, y llevados al Reclusorio Preventivo Oriente, en la ciudad de México. Ahí, un periodista[9] entrevistó a Antonio Partida unos días después de su ingreso. Según el periodista, el abogado tenía magulladuras en los brazos, piernas y espalda y sufría fuertes dolores en las costillas. Tanto Antonio Partida como Antonio Murray han denunciado oficialmente el trato que recibieron ante la Procuraduría General. Siguieron en prisión en espera de juicio y, a tenor de la información de que dispone Amnistía Internacional, los responsables de las torturas no han comparecido ante la justicia. El caso provocó la indignación y protestas públicas de varios Colegios de Abogados, que denunciaron el hecho de que los abo-

---

9   Entrevista publicada por Excelsior el 29 de noviembre de 1989.

gados fueran frecuentes blancos de violaciones de derechos humanos cometidos por agentes de orden público y pidieron al presidente Salinas el 4 de diciembre de 1989 garantías de que sus derechos serían respetados.

En 1989 y 1990 las denuncias por torturas infligidas en el contexto de investigaciones anti-narcóticos suscitaron tal inquietud en la opinión pública que el presidente Salinas se vio obligado a abordar públicamente el tema. En julio de 1990 condenó la práctica de violar derechos humanos en el contexto de las investigaciones anti-narcóticos calificándola como fuente de corrupción y de atentados contra la libertad. Al mismo tiempo, anunció algunas medidas administrativas para poner fin al problema, como exigir que los agentes y vehículos de la policía judicial federal y de los estados llevaran la debida identificación, prohibir que la policía utilizara automóviles no oficiales y suspender los controles policiales de carretera aleatorios.

Sin embargo, y a pesar del anuncio de estas medidas, continuaron las torturas de personas sospechosas de cometer delitos relacionados con la droga que, en algunos casos, llegaron a causar la muerte de la víctima.

Pedro Yescas Martínez, de 34 años, murió bajo custodia en la capital del estado de Durango el 8 de octubre de 1990, cuatro días después de ser detenido por la policía judicial federal. Según varios testigos presenciales, durante este tiempo lo torturaron de gravedad y lo obligaron a confesarse culpable de delitos relacionados con la droga, y posteriormente le negaron el tratamiento médico adecuado para las graves lesiones que había sufrido por la tortura. La indignación pública y las denuncias de sus familiares llevaron a que se abriese una investigación oficial, pero en mayo de 1991 los responsables aún no habían comparecido ante la justicia.

Javier Delgado Gutiérrez, de 48 años de edad, fue detenido por varios agentes de la policía federal en Guadalajara, estado de Jalisco, el 2 de octubre de 1990, bajo sospecha de narcotráfico. Ese mismo día, dos médicos forenses lo sometieron a un examen rutinario en la oficina local de la policía federal. Los médicos informaron que estaba «nervioso y con corazón agitado», lo que atribuyeron a una adicción a estupefacientes, y describieron magulladuras en varias partes del cuerpo, que dijeron se habían producido antes de su detención y no suponían riesgo para su vida. Javier Delgado Gutiérrez murió bajo custodia esa misma noche.

La policía emitió una declaración pública en la que atribuía la muerte a un ataque al corazón, pero un examen forense del cuerpo realizado a petición de la Comisión Nacional de Derechos Humanos determinó como causa del fallecimiento la tortura: tenía graves lesiones en la cara, fuertes magulladuras el cuerpo, incluyendo los testículos, y una fractura en el tobillo derecho.

Dos agentes de la policía federal fueron detenidos y acusados de asesinato, pero otros policías supuestamente implicados no han sido acusados formalmente ni sometidos a expediente disciplinario, entre ellos el oficial al mando del grupo.

Dos meses después, este mismo oficial estuvo implicado en otra violación de derechos humanos. Un grupo de agentes de la policía federal anti-narcóticos que estaba bajo su mando mató a seis civiles desarmados, dos de ellos niños, cuando, según informes, abrieron fuego sin advertencia previa contra una furgoneta en la que, declararon después, creían que viajaban unos narcotraficantes. El incidente se produjo el 2 de diciembre de 1990 en el pueblo de Angostura, estado de Sinaloa. Los agentes de la policía federal y sus mandos fueron detenidos y acusados de asesinato. Sin embargo, la Procuraduría General de la República manifestó que era un caso de «homicidio imprudencial» y no de asesinato, y anunció que se haría cargo de los gastos de la defensa legal de los acusados. El caso está actualmente ante los tribunales.

También se ha detenido y torturado a ciudadanos de otros países en relación con investigaciones anti-narcóticos.

En mayo de 1990, los delegados de Amnistía Internacional que visitaron México entrevistaron a un estudiante colombiano que describió un incidente ocurrido ese mismo mes en el que él, otro estudiante colombiano y un estudiante mexicano fueron detenidos y torturados con el pretexto de investigar su implicación en el narcotráfico. Sus nombres no pueden hacerse públicos por temor a las represalias.

Los dos estudiantes colombianos fueron aprehendidos a última hora de la tarde frente a una estación de metro en la ciudad de México por cuatro hombres vestidos de civil que se identificaron como agentes de la policía judicial y que los obligaron a subir a una furgoneta a punta de pistola. Cuando los estudiantes mostraron sus documentos de identidad, los policías se dieron cuenta de que eran colombianos y dijeron que, por tanto, debían saberlo todo sobre el tráfico de cocaína en México. Los estudiantes fueron golpeados en la furgoneta y llevados al domicilio de uno de ellos, que la policía saqueó, presuntamente robando dinero y otros objetos de valor.

Mientras estaban ahí, llegó un estudiante mexicano al que también detuvieron y golpearon. Los tres estudiantes fueron conducidos luego al domicilio del segundo estudiante colombiano, que fue a su vez saqueado por los policías y donde éstos detuvieron a dos mujeres colombianas que también vivían en la casa. Después introdujeron a los cinco detenidos en la furgoneta y fueron a un estacionamiento, en el que, para lograr acceso, los policías tuvieron que identificarse como agentes de la policía federal. Ahí torturaron a los estudiantes colombianos con golpes, semi-asfixia y descargas eléctricas. Luego los volvieron a meter en la furgoneta y les dijeron que iban a llevarlos a un lugar que los policías llamaban «el canal». Los estudiantes creían que era el lugar en el centro de la ciudad donde los «escuadrones de la muerte» paramilitares se deshacían de sus víctimas en la década de 1970. Sin embargo, los cinco fueron liberados casi enseguida, no sin que antes los golpearan de nuevo y amenazaran de muerte si contaban lo que les había pasado.

El incidente duró en total unas cuatro o cinco horas. El estudiante entrevistado por Amnistía Internacional en mayo de 1990 declaró que los policías que los detuvieron estaban en constante contacto por radio con otros policías. Dijo que tenía dañada la capacidad auditiva a consecuencia de los golpes en la cabeza y que sufría fuertes dolores en el pecho y el abdomen debidos a los golpes que le propinaron en el resto del cuerpo. Uno de los delegados de Amnistía Internacional, médico, lo examinó y confirmó la existencia de lesiones congruentes con las torturas descritas.

Todas las víctimas de este caso decidieron no denunciar oficialmente el trato recibido por temor a represalias: «Sólo queremos seguir estudiando en paz», dijo el estudiante entrevistado por Amnistía Internacional.

Dos ciudadanos estadounidenses que estaban en espera de juicio por narcotráfico en la Prisión de Piedras Negras, estado de Coahuila, en febrero de 1990, denunciaron haber sido torturados tras su detención. Joe Pemberton y Henry Van Cleave fueron detenidos por agentes de la policía judicial federal sin el correspondiente mandamiento judicial a mediados de 1989. Al parecer, Henry Van Cleave afirmó que, aunque era cierto que tenía un cigarrillo de marihuana en el bolsillo, la policía empezó a pegarle a él y a Joe Pemberton aun antes de registrarles. Ambos declararon que les pegaron y torturaron con descargas eléctricas después de arrojarles cubos de agua. También afirmaron que los habían obligado a firmar unos documentos en español, lengua que no entienden, y que posteriormente descubrieron que habían admitido su implicación en el tráfico de marihuana, cargos que negaron.

Los dos estadounidenses recibieron tratamiento médico bajo custodia. Joe Pemberton tenía una fractura clavicular y un hombro dislocado; Henry Van Cleave sufrió dos operaciones quirúrgicas por infecciones internas que, según dijo al parecer un cirujano, se debían casi con certeza a puñetazos y patadas. En febrero de 1990 un portavoz del presidente Salinas declaró a periodistas estadounidenses que el procurador general había abierto una investigación sobre los hechos. Sin embargo, cuando se redactan estas líneas los responsables no habían comparecido aún ante la justicia.

La tortura en las investigaciones criminales

En marzo de 1989, el titular de la Procuraduría General de Justicia del Distrito Federal dictó instrucciones al Ministerio Público responsable de la policía judicial del Distrito Federal sobre el trato de las personas detenidas en relación con delitos comunes. La Procuraduría General ordenaba que «las personas que se encuentren detenidas en los términos de Ley, por estar vinculadas con la investigación de algún hecho delictuoso, serán tratadas con el mayor respeto y dignidad». Según dichas instrucciones, los agentes del Ministerio Público debían evitar la imposición del régimen de incomunicación a los detenidos. Asimismo, se exigía a los funcionarios que facilitaran y garantizaran el acceso a un abogado en cuanto lo solicitara el detenido, siempre que ello no interfiriera en el curso de las investigaciones. A pesar de estas medidas, siguieron llegando denuncias de torturas de la ciudad de México y de sus alrededores.

Siete meses después, el 28 de diciembre de 1989, Mario Alberto Sánchez Hinojosa, mecánico de 28 años de edad, fue detenido sin la preceptiva orden judicial en su centro de trabajo en la ciudad de México por agentes de la unidad Gustavo A. Madero de la policía del Distrito Federal.

Mario Alberto Sánchez Hinojosa estuvo incomunicado a disposición de la policía los dos días siguientes. Según su testimonio, durante ese tiempo utilizaron con varios métodos de tortura, desde semi-asfixia y palizas hasta quemaduras con cigarrillos: un médico certificó posteriormente la existencia de 22 cicatrices en su cuerpo, aparentemente causadas por quemaduras de cigarrillos. Esta última forma de tortura se la infligió, al parecer, uno de los mandos policiales, a quien Mario Alberto Sánchez Hinojosa califica de «particularmente sádico».

Durante las sesiones de tortura, Mario Alberto Sánchez Hinojosa supo que era sospechoso de la violación y asesinato de su ex novia Rita Julieta Anguiano Torres. Bajo tortura, se confesó autor de los delitos y, el 30 de diciembre, lo presentaron en una conferencia de prensa como autor de los hechos. Al día siguiente, un periódico mexicano informó que una investigación exhaustiva de la policía del Distrito Federal, auxiliada por expertos forenses, había identificado a Mario Alberto Sánchez Hinojosa como el asesino de Rita Julieta Anguiano Torres. El periódico lo describía como un psicópata y un maniático sexual.

Mario Alberto Sánchez Hinojosa fue acusado de homicidio y violación y enviado al Reclusorio Preventivo Norte de la ciudad de México, en espera de juicio. Pocos días después, los médicos de la prisión lo sometieron a un examen médico rutinario y certificaron que tenía señales visibles de múltiples lesiones causadas por un objeto contundente.

No se produjeron novedades hasta el 12 de mayo de 1990, fecha en que la prensa mexicana anunció la detención de los miembros de una banda que, al parecer, habían sido los autores del asesinato de Rita Anguiano. El 16 de mayo de 1990, un alto cargo policial anunció públicamente que Mario Alberto Sánchez Hinojosa era inocente del asesinato, pero que no se le pondría en libertad porque seguía en espera de juicio por los cargos de la violación de los que se había confesado culpable. Que sepa Amnistía Internacional, el encausado sigue en prisión preventiva y los responsables de las torturas denunciadas no han comparecido ante la justicia.

También se ha torturado a policías en el curso de investigaciones criminales. Un grupo de policías del estado de Morelos detenidos en febrero de 1990 en Almoya de Juárez, estado de México, acusados de secuestro y extorsión, alegaron, al comparecer ante el juez, que la policía judicial del estado de México los había torturado cuando estaban detenidos bajo su custodia. Al parecer, mostraron al juez las señales de tortura y uno de ellos fue llevado inmediatamente a un hospital debido a la gravedad de su estado, aparentemente consecuencia de la tortura. Los policías detenidos negaron los cargos que se les imputaban y declararon que los habían obligado a confesar bajo tortura. Según su versión, los llevaron a un centro de detención clandestino o «casa de seguridad», donde les aplicaron descargas eléctricas en los genitales, los semi-asfixiaron, les introdujeron agua mineral en las fosas nasales, les pegaron en las orejas con mangueras y los forzaron a firmar declaraciones falsas. Una de las víctimas afirmó que cuando se negó a firmar, sus interrogadores apuntaron con una pistola a la cabeza de su esposa y amenazaron con matarla si no lo hacía. El policía firmó. Al parecer, nadie ha comparecido ante la justicia a consecuencia de sus denuncias.

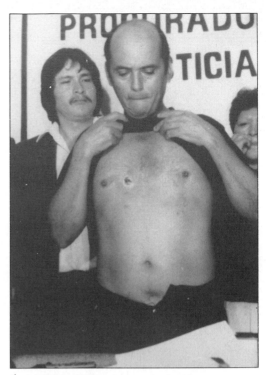

Ángel Chávez Sánchez muestra las heridas que dice le infligieron al torturarlo. La víctima afirma que sus torturadores lo obligaron a confesarse autor de un asesinato que, insiste, no cometió. Su confesión sirvió para formular los cargos y ordenar su ingreso en prisión preventiva.

Ángel Chávez Sánchez y su hijo de 17 años de edad, Alberto Chávez Barroso, fueron secuestrados el 13 de noviembre de 1989 en Chetumal, estado de Quintana Roo, por un grupo de hombres armados vestidos de civil que los obligaron a subir a una furgoneta sin placas de matrícula y los llevaron a la ciudad de Cancún. El trayecto duró aproximadamente ocho horas durante las cuales los mantuvieron en el suelo del vehículo y, al parecer, les pegaron.

Cuando llegaron a Cancún, Ángel Chávez Sánchez y su hijo fueron encapuchados y llevados a lo que creían ser la habitación de un hotel. Según parece, ahí los desnudaron, amordazaron, ataron e interrogaron bajo tortura sobre un secuestro en el que había muerto la víctima.

Al día siguiente, 14 de noviembre, les vendaron los ojos y los llevaron por separado a la ciudad de México. Ángel Chávez Sánchez fue conducido, por un grupo de hombres armados vestidos de civil, a un lugar que posteriormente identificó como la Procuraduría General de Justicia del Distrito Federal, donde, según se informa, lo incomunicaron, torturaron, amenazaron y obligaron a confesar su implicación en el secuestro. En total estuvo 20 días detenido en régimen de incomunicación. El 2 de diciembre lo ingresaron en el Reclusorio Preventivo Norte de la ciudad de México, en espera de ser juzgado por secuestro y asesinato, cargos basados, aparentemente, en su confesión. Más tarde se enteró de que su hijo había sido puesto en libertad sin cargos el 21 de noviembre.

Ángel Chávez Sánchez ha declarado reiteradamente que hizo una confesión falsa a consecuencia de las torturas. Ha presentado ante los tribunales varias coartadas que, al parecer, demuestran su inocencia, así como una denuncia sobre lo que calificó de detención ilegal y tortura a manos de agentes de la policía judicial del Distrito Federal. Adjuntaba a la denuncia un informe forense sobre sus heridas, y cuyas conclusiones son congruentes con las torturas descritas. También ha denunciado su caso y el de su hijo ante la Comisión Nacional de Derechos Humanos.

Sin embargo, Ángel Chávez Sánchez sigue en prisión en espera de juicio y hasta la fecha, mayo de 1991, ninguno de los supuestos responsables del secuestro y tortura de que fueron víctimas él y su hijo habían comparecido ante la justicia.

Métodos de tortura

Los métodos que se exponen a continuación se utilizan ampliamente en México, no sólo para torturar a adultos, sino también a niños.

Los métodos son sencillos –violencia bruta, junto con el uso de instrumentos sencillos, como bolsas de plástico, fuentes domésticas de energía eléctrica e inodoros–, pero al mismo tiempo perfeccionados, ya que están concebidos para dejar el mínimo de marcas. A veces son mortales.

Palizas

Las palizas son uno de los dos métodos de tortura más habituales. A menudo comienzan en el mismo momento de la detención y las denuncias se refieren casi siempre a los interrogatorios iniciales bajo custodia policial. También se sabe que son una práctica común en varias prisiones del país.

Las palizas incluyen dar bofetadas, puñetazos y patadas en partes sensibles del cuerpo como la cara, el abdomen y los genitales; golpear con palos y culatas de fusiles; flagelar con cuerdas y cinturones y retorcer o pellizcar en los pezones.

Una variación más elaborada de este método de tortura es el «teléfono», que consiste en propinar golpes simultáneamente en ambas orejas; puede provocar la ruptura de los tímpanos y daños permanentes en la audición de la víctima.

Muchas de las lesiones causadas por las palizas sanan sin dejar cicatrices permanentes. Sin embargo, las víctimas sufren incapacidades que sí son permanentes y algunas palizas han sido mortales. Por ejemplo, Fernando Jordán de la Toba, de 20 años de edad, sospechoso de tráfico menor de estupefacientes, murió detenido en La Paz, estado de Baja California Sur, en diciembre de 1989, después de recibir una considerable paliza durante el interrogatorio a que lo sometió la policía judicial. Había sido detenido dos días antes. Dos agentes de la policía judicial fueron detenidos y acusados formalmente en relación con esta muerte, pero aún no habían sido procesados al cierre de esta publicación.

El «tehuacanazo»

El nombre de este método de tortura viene de *Tehuacán*, una popular marca de agua mineral con gas. Después de las palizas, es la forma de tortura más denunciada en México.

El «tehuacanazo» consiste en introducir a la fuerza en las fosas nasales de la víctima agua con gas, normalmente mezclada con polvos de pimiento picante, lo que produce una irritación sumamente dolorosa de los conductos nasales y dificultades respiratorias.

Una variación de esta técnica es la introducción de agua corriente en la nariz de la víctima con una manguera.

La asfixia

La asfixia es un método de tortura muy común y a veces tiene consecuencias mortales. Dos son las técnicas principales:

—   En la «bolsita», también conocida como el «submarino seco», se pone una bolsa de plástico en la cabeza de la víctima y se ata alrededor del cuello, lo que provoca el ahogamiento. A veces se envuelve primero la cabeza de la víctima con un trapo mojado, o se introducen pimientos picantes en la bolsa. Para aumentar el sufrimiento de la víctima, se le propinan golpes en el abdomen.

— El «pozole» o «pozoleado», también conocido como el «submarino húmedo», provoca la asfixia de la víctima al sumergirle la cabeza en agua. A menudo el agua contiene detritos, y a veces heces y orina, por ejemplo cuando se utilizan los inodoros. En ocasiones también se añaden al agua agentes irritantes como pimiento picante en polvo o cloro.

La tortura eléctrica

La tortura eléctrica tiene un uso muy generalizado en México. Normalmente se aplica con una picana eléctrica, la «chicharra», en partes sensibles del cuerpo como los ojos, encías, lengua, pezones y genitales,, o, en otros casos, con cables conectados a una fuente de energía eléctrica y que se suelen atar a los pies o manos de la víctima.

A veces se ha aplicado la electricidad tomada directamente de fuentes caseras normales.

Para aumentar la intensidad de la tortura eléctrica, se suele arrojar agua a las víctimas o sumergir a éstas en un contenedor con agua. Los efectos médicos de esta tortura incluyen dolores agudos, convulsiones, traumatismos múltiples, quemaduras y paro cardiaco.

La tortura psicológica

Las sesiones de interrogatorio van acompañadas con frecuencia de actos de intimidación y amenazas de distintos tipos.

Los interrogadores han dicho con frecuencia a los detenidos que, si no cooperan, los harán desaparecer o los matarán. Otras veces se los amenaza con represalias contra sus familiares, como la violación de sus hijas o la muerte de sus hijos. Antonio Orozco Michel, una de las varias personas detenidas y acusadas de cometer atracos bancarios para una organización guerrillera de izquierdas, denunció formalmente que lo habían torturado durante su interrogatorio. En su testimonio afirma que el comandante de la policía le dijo que «tenían órdenes de "reventarnos" si persistíamos en negarnos a firmar lo que se nos imputaba».

Otras torturas psicológicas denunciadas son los simulacros de ejecución.

Quemaduras de cigarrillos

Este método de tortura consiste en la aplicación de cigarrillos encendidos sobre la piel de la víctima, lo que produce dolorosas quemaduras. El certificado médico de una víctima menciona 22 quemaduras de este tipo.

Abusos sexuales

Aunque los abusos sexuales no constituyen un método de tortura muy empleado durante el interrogatorio de detenidos, sí se han denunciado casos de mujeres a quienes se ha amenazado de violación y se ha obligado a desnudarse estando bajo custodia. Por otra parte, los guardias de algunas prisiones han sido, al parecer, responsables de casos esporádicos de violación y abusos sexuales tanto contra reclusos como reclusas. También se han denunciado abusos sexuales en zonas rurales. Tres mujeres que se encontraban entre un grupo de 113 personas detenidas el 24 de enero de 1990 en el puente El Caracol, Tuxtepec, estado de Oaxaca, cuando se dirigían a una manifestación en la capital del estado, denunciaron que, mientras estaban detenidas, la policía del estado las sometió a abusos sexuales y las obligó a firmar confesiones.

El «pollo rostizado»

Esta técnica consiste en suspender a la víctima largo tiempo de una barra de metal o de madera por tiempo prolongado. Con las muñecas atadas a los tobillos y las rodillas dobladas, se coloca una barra entre las rodillas y los brazos, de donde se cuelga a la víctima, lo que provoca un intenso dolor y lesiones en músculos, tendones y articulaciones.

Una variación de este método consiste en colgar de las muñecas a la víctima esposada, de forma que los pies apenas toquen el suelo, lo que crea tensiones similares en las muñecas.

La «antorcha»

La «antorcha» consiste en aplicar directamente a la piel de la víctima una llama producida con papeles ardiendo, encendedores, soldadores u otros instrumentos.

Según consta en los informes, los diversos métodos de tortura descritos se utilizan a menudo combinados, siendo la práctica más habitual la de propinar palizas acompañadas o seguidas del «tehuacanazo», la «bolsita», descargas eléctricas y torturas psicológicas.

La tortura: El contexto legal

La Constitución mexicana prohíbe la tortura. Además, México ha ratificado tratados internacionales de derechos humanos que prohíben la tortura y exigen que el gobierno tome medidas efectivas para prevenirla. Por su parte, el gobierno federal y varios estados mexicanos han adoptado además otras leyes para la prevención de la tortura y la sanción de sus autores. Las autoridades gubernamentales han realizado frecuentes declaraciones condenando la tortura y pidiendo que las investigaciones y procesamientos en casos de tortura se hagan de conformidad con la ley. También existe un organismo oficial encargado de investigar las denuncias de tortura en todo el ámbito nacional, y algunos estados mexicanos cuentan con organismos similares.

A pesar de ello, siguen denunciándose violaciones de derechos humanos cometidas por agentes de orden público en todo México y sus presuntos responsables rara vez comparecen ante la justicia.

La prohibición legal de la tortura

La Constitución de la República de México, proclamada en 1917, garantiza la protección de una serie de derechos fundamentales: Nadie puede ser detenido sin una orden dictada por una autoridad judicial competente, salvo si es sorprendido en flagrante delito; nadie puede ser obligado a declarar contra sí mismo; están prohibidas todas las formas de malos tratos durante la detención; y todos los detenidos han de comparecer ante el juez en el plazo de 24 horas y tienen derecho a consultar a un abogado desde el momento de la detención.

Los tratados internacionales que ha ratificado el Estado mexicano, como el Pacto Internacional de Derechos Civiles y Políticos[10], la Convención Americana sobre Derechos Humanos[11] y la Convención contra la Tortura y Otros Tratos o Penas Crueles, Inhumanos o Degradantes (ONU)[12], obligan por su parte al gobierno de México a proteger los derechos humanos.

---

10 México no ha ratificado aún, en mayo de 1991, el (primer) Protocolo Facultativo del Pacto, que permite que todo individuo que alegue una violación de cualquiera de sus derechos enumerados en este Pacto someta una comunicación escrita a la consideración del Comité de Derechos Humanos de las Naciones Unidas.

11 México no ha hecho aún una declaración en la que reconozca la competencia de la Corte Interamericana de Derechos Humanos (sobre todos los casos relativos a la interpretación o aplicación de la Convención Americana).

12 México no ha realizado todavía la declaración a que se refiere el artículo 22 de la Convención y, por tanto, no ha reconocido la competencia del Comité contra la Tortura para recibir y examinar las comunicaciones presentadas por personas o en representación de personas que aleguen haber sido víctimas de una violación de las disposiciones de la Convención.

En mayo de 1986 el Congreso aprobó la Ley Federal para Prevenir y Sancionar la Tortura. Los siete artículos de que consta esta ley incluyen la tipificación de la tortura como delito cuya persecución es preceptiva, con independencia de si se ha producido denuncia de un particular; el reconocimiento del derecho del detenido a recibir atención médica adecuada o a ser examinado por un médico de su elección si así lo pide; la prohibición del uso en los procedimientos legales de pruebas basadas en confesiones obtenidas bajo tortura; y la previsión de penas de hasta ocho años de prisión más la destitución en sus funciones por un periodo dos veces superior al de prisión para los agentes encargados de hacer cumplir la ley a quienes se declare culpables de tortura. Esta ley también manifiesta expresamente que no podrá invocarse ninguna circunstancia especial ni emergencia pública de ningún tipo para justificar la tortura.

En febrero de 1991 se introdujeron una serie de reformas al Código Federal de Procedimientos Penales y al Código de Procedimientos Penales para el Distrito Federal. Las nuevas medidas limitan el papel de la policía en el interrogatorio de los detenidos, prevén servicios de interpretación para los encausados que no sean hispanohablantes y refuerzan la prohibición de la detención arbitraria y del régimen de incomunicación, así como de toda forma de abuso o intimidación contra los encausados. Las reformas incluyen también disposiciones que limitan el valor de las confesiones como prueba ante los tribunales, al estipular que han de ir acompañadas de pruebas adicionales para sustanciar las acusaciones y que las declaraciones de los encausados sólo se considerarán válidas cuando se hagan ante el Ministerio Fiscal o ante los tribunales y en presencia de un abogado.

Aunque Amnistía Internacional expresa su satisfacción por la adopción de estas reformas, la organización no oculta su inquietud por el hecho de que algunas de ellas puedan ser, en la práctica, insuficientes para prevenir la tortura y los malos tratos. Por ejemplo, el requisito de que sólo se considerarán válidas las confesiones realizadas ante un agente del Ministerio Público o los tribunales podría no evitar que los encausados sean coaccionados para confesarse culpables ante estos funcionarios si, en las primeras fases de su detención, la policía los somete a torturas o los amenaza con tomar represalias contra ellos o sus familias si no confiesan. Por otra parte, las medidas tampoco abordan el papel, denunciado con frecuencia, de los agentes del Ministerio Público que permiten que se inflijan torturas y malos tratos a los detenidos.

Éstas son las últimas medidas de una serie de reformas legales y administrativas que ha adoptado el gobierno mexicano con la intención expresa de poner fin a la práctica de la tortura y de los malos tratos. A pesar de las reformas anteriores destinadas a prevenir estos abusos, Amnistía Internacional ha seguido recibiendo gran número de denuncias de torturas y malos tratos.

También los estados tienen leyes destinadas a prevenir y sancionar la tortura. En mayo de 1990 el estado de Sinaloa incorporó en su Código Penal unas medidas contra la tortura en las que se preveía una pena de entre 2 y 10 años de prisión para los responsables. Al parecer, esta legislación fue aprobada en parte como resultado de las iniciativas de la abogada de derechos humanos Norma Corona Sapién. Otros estados mexicanos que han adoptado leyes contra la tortura son Querétaro, Chihuahua y Aguascalientes.

Por otra parte, algunos estados mexicanos han creado oficinas gubernamentales que se ocupan específicamente de materias relativas a los derechos humanos, como la Procuraduría para la Defensa del Indígena, en Oaxaca; la Procuraduría Social de la Montaña, en Guerrero, la Comisión de Derechos Humanos, en Morelos; la Procuraduría de Protección Ciudadana –que tiene funciones de «defensor del pueblo» en el estado– y la Comisión Estatal de Derechos Humanos, en Aguascalientes, y la Procuraduría Social del Departamento del Distrito Federal.

La respuesta oficial frente a la tortura

La preocupación pública por el creciente número de casos de tortura denunciados en México ha hecho que tanto las autoridades nacionales como las estatales hayan hecho una serie de declaraciones aparentemente destinadas a poner fin al uso de la tortura y a reforzar los derechos fundamentales de todo ciudadano.

En febrero de 1989 se creó la Dirección General de Derechos Humanos, organismo dependiente de la Secretaría de Gobernación[13]. Una de sus principales funciones era recibir denuncias de violaciones de derechos humanos y formular ante las autoridades pertinentes recomendaciones para su investigación y prevención. Su director general, Luis Ortiz Monasterio, y otros funcionarios, reconocieron posteriormente que en México se practicaba la tortura, aunque negaron que fuera una política deliberada, y criticaron que el uso de las confesiones realizadas ante la policía como «reina de las pruebas» contra los procesados por el riesgo de que se hubieran obtenido bajo coacción.

En el ámbito nacional, tras las continuas denuncias públicas de torturas a manos de la policía judicial federal, el procurador general de la República prometió a mediados de 1989 que se investigarían exhaustivamente las denuncias contra agentes de la policía judicial federal presuntamente responsables de torturas y que caería todo el peso de la ley sobre cualquier persona declarada culpable de tales actos. Pocos meses después, algunos concejales de la ciudad de México se quejaron ante el procurador general de la República de detenciones arbitrarias practicadas en dicha ciudad por la policía judicial federal, afirmando que habían recibido denuncias de detenciones arbitrarias de «hombres y mujeres, sin distinción [...] por espacio de cuatro hasta doce días, sin que sean puestos a disposición de los jueces», cuando el plazo máximo que establece la Constitución es de 24 horas. Es precisamente durante estos periodos de detención en régimen de incomunicación cuando la probabilidad de que se inflijan torturas es mayor.

En enero de 1990, el procurador general de Justicia del Distrito Federal anunció la adopción de nuevas medidas en respuesta a la preocupación suscitada por las denuncias de torturas y malos tratos en el Distrito Federal. El procurador manifestó que las condenas no podrían seguir basándose sólo en confesiones extrajudiciales y que la acusación tendría que presentar otras pruebas de culpabilidad. También ordenó que, tanto antes como después del interrogatorio, los detenidos fueran examinados por el servicio médico del Ministerio Público. Por otra parte, se informaría a los detenidos de su derecho a nombrar abogado defensor, que podría estar presente durante el interrogatorio, y las personas detenidas por la policía en flagrante delito serían puestas de inmediato a disposición del Ministerio Público. El procurador general afirmó asimismo que la policía debería actuar, en todo momento y únicamente, según las órdenes emanadas de la autoridad del Ministerio Público. Todo funcionario a quien se declarase culpable de tortura o de utilizar coacciones para obtener una confesión podría ser condenado a una pena de entre 2 y 10 años de prisión.

No obstante, las declaraciones del procurador general de Justicia del Distrito Federal no pusieron fin a las denuncias de torturas y detenciones ilegales cometidas por agentes de orden público en el Distrito Federal y sus alrededores. El 22 de agosto de 1990 el procurador anunció la adopción de nuevas medidas, entre las que se disponía que la policía sólo podía interrogar a detenidos por delitos comunes en presencia del agente del Ministerio Público, y se pedía a los

---

13   Ministerio del Interior.

agentes del Ministerio Público del Distrito Federal que no acusaran formalmente a los detenidos de delitos comunes basándose sólo en sus confesiones.

La experiencia en los ámbitos nacional y del Distrito Federal –es decir, que la prohibición oficial no ha servido para contener el uso de la tortura– también se ha reflejado en los estados. Los gobernadores de éstos han condenado en varias ocasiones la tortura y los malos tratos, prometiendo a veces que se procesaría a los agentes de la policía responsables de estos abusos, pero esto no ha puesto fin a la tortura.

La Comisión Nacional de Derechos Humanos

En junio de 1990, el gobierno tomó una iniciativa nacional en relación con las violaciones de derechos humanos en México. Poco después del asesinato de Norma Corona Sapién, el presidente Salinas anunció la creación de la Comisión Nacional de Derechos Humanos, que presidiría Jorge Carpizo McGregor, ex miembro del Supremo Tribunal de Justicia y ex rector de la Universidad Nacional Autónoma de México. La Comisión se creó mediante decreto presidencial y está adscrita a la Secretaría de Gobernación. A su vez, la Dirección General de Derechos Humanos creada en 1989 quedó incorporada a la Comisión haciendo veces de secretaría técnica. En la ceremonia inaugural de la Comisión, celebrada el 6 de junio de 1990, el presidente Salinas proclamó: «Las cosas en México ya no serán como antes. Enfrentaremos las nuevas amenazas a los derechos humanos, provengan de donde provengan. El nuevo ánimo social y el propósito del Estado reformado es el apego a la ley [...] Que no quepa duda: la línea política del gobierno de la República es defender los derechos humanos y sancionar a quien los lastime; es acabar tajantemente con toda forma de impunidad. México, el gobierno, no convalida ninguna violación a las libertades que consagra la Constitución.»

La principal función de la Comisión Nacional de Derechos Humanos es recibir e investigar denuncias de violaciones de derechos humanos y formular recomendaciones para la acción basadas en sus conclusiones ante las autoridades competentes. Sin embargo, no ha recibido ni las amplias facultades de investigación ni la autoridad constitucional necesarias para llevar a cabo tales tareas efectivamente. La Comisión se ocupa también de la promoción de los derechos humanos y de la educación en derechos humanos en México, así como de proponer una política nacional destinada a fomentar su respeto y defensa. Además, es la responsable de presentar la política gubernamental de derechos humanos en los ámbitos nacional e internacional. La Comisión informa dos veces al año de sus actividades y conclusiones, con sus recomendaciones correspondientes, y presentó su primer informe a las autoridades en diciembre de 1990[14].

La mayoría de las organizaciones independientes de derechos humanos de México acogieron con satisfacción la creación de este organismo. No obstante, expresaron públicamente su inquietud por el hecho de que careciera de independencia y de que no tuviera plenas facultades de investigación. Muchos creían que la independencia y autoridad de la Comisión y, por consiguiente, su efectividad, habrían sido mayores si su creación hubiera sido debatida y aprobada por el Congreso, y no instituida por decreto presidencial.

Casi un año después, en mayo de 1991, tras conocerse el resultado de algunas de las investigaciones realizadas por la Comisión, sigue en pie esta inquietud. En su primer informe, pre-

---

14   Primer Informe Semestral, junio-diciembre de 1990, Ciudad de México, 1990 II.

sentado a los seis meses de su formación, la Comisión decía que había reunido información sobre unas 1.000 denuncias de tortura y recomendaba procesamientos en 33 casos. En ninguno de éstos se han obtenido declaraciones de culpabilidad, aun cuando las investigaciones de la Comisión ofrecían pruebas sustanciales de la implicación de determinados agentes de policía en torturas, malos tratos y otras violaciones de derechos humanos. Por su parte, la Procuraduría General de la República no ha llevado aún a la práctica en forma completa la mayoría de las recomendaciones de la Comisión.

La primera tarea de envergadura de la nueva Comisión era investigar el asesinato de Norma Corona Sapién. En julio de 1990 se anunció la detención de cinco personas en relación con los hechos, tres de ellas civiles. Las otras dos eran ex agentes de la policía judicial federal, uno de los cuales confesó que habían dado muerte a Norma Corona por orden de un oficial que había muerto en circunstancias no aclaradas a finales de junio. Sin embargo, este agente se retractó posteriormente de su confesión, alegando que la había hecho bajo tortura. En mayo de 1991 seguían sin producirse más novedades en el caso, a pesar del generalizado clamor de la opinión pública, que exigía su investigación exhaustiva.

En decenas de casos las investigaciones de la Comisión han arrojado como resultado relatos bien documentados de violaciones de derechos humanos, muchos de ellos de torturas. No obstante, rara vez se han puesto en práctica sus recomendaciones para la investigación de estos casos y el procesamiento de los responsables, y la Comisión carece de autoridad para hacer que sean vinculantes.

Poco después de la creación de la Comisión, Antonio Francisco Valencia Fontes, un abogado de Ciudad Obregón, estado de Sonora, denunció ante ella un caso de torturas que afectaba al propio denunciante, a su cliente Jesús Enrique Machi Ramírez, al hermano de éste, Sergio Machi Ramírez, y a un familiar de los dos últimos. Sergio Machi Ramírez desapareció y fue hallado posteriormente sin vida; los otros tres están en prisión aún, en mayo de 1991, en espera de ser juzgados por delitos relacionados con estupefacientes.

Sergio Machi Ramírez desapareció el 19 de noviembre de 1989, después de ser detenido por la policía federal en Mexicali, estado de Baja California Norte. Dos días después, el 21 de noviembre, Antonio Francisco Valencia Fontes y Jesús Enrique Machi Ramírez se desplazaron en avión desde Ciudad Obregón a Mexicali para tratar de averiguar el paradero del hermano de este último. En Mexicali se les unió Armando Machi Bustamante, familiar de los hermanos Machi Ramírez, y juntos visitaron varias oficinas de policía haciendo indagaciones. Esa noche, un escuadrón anti-narcóticos de la policía judicial federal allanó el hotel donde se hospedaban y se llevó a los tres hombres a las dependencias policiales. Ahí, según los testimonios de los detenidos, los pegaron, los torturaron con electricidad, los semi-asfixiaron introduciéndoles la cabeza en bolsas de plástico con amoniaco, los sometieron a simulacros de ejecución y los amenazaron. Las víctimas declararon asimismo que vieron a Sergio Machi Ramírez en el cuartel de la policía judicial federal, con aspecto de haber sido torturado.

Al día siguiente, Antonio Francisco Valencia Fontes, Jesús Enrique Machi Ramírez y Armando Machi Bustamante fueron conducidos, esposados y con los ojos vendados, a una celda de la Procuraduría General de la República en la ciudad de México donde, según declaran, los torturaron y obligaron a confesar que tenían cocaína. El 29 de noviembre, a la 1 de la madrugada, los tres detenidos ingresaron en el Reclusorio Preventivo Oriente, en espera de ser juzgados.

El 17 de enero de 1990, los tres hombres presentaron una denuncia formal por detención injustificada ante el presidente del Supremo Tribunal de Justicia de México. La denuncia iba respaldada por varias organizaciones, entre ellas el Colegio de Abogados del estado de Sonora, y documentaba 10 contradicciones entre los hechos que en ella describían y la versión policial de lo sucedido.

En agosto, la Comisión Nacional de Derechos Humanos concluyó sus investigaciones sobre el caso declarando que «se aprecia la existencia de irregularidades manifiestas en el procedimiento, que pudieran hacer creíble lo declarado por el propio Licenciado Valencia, en el sentido de que no es responsable del delito contra la salud[15] que se le imputa». Entre dichas irregularidades, destacaba el hecho de que, según los mandamientos de detención dictados por la Procuraduría General, Jesús Enrique Machi Ramírez, Antonio Valencia Fontes y Armando Machi Bustamante fueron detenidos el 27 de noviembre en Mexicali, en posesión de casi un kilo de cocaína, mientras que la Comisión declaraba probado que, en esa fecha, los hombres ya estaban detenidos en la ciudad de México.

La Comisión recomendó que el procurador general de la República abriera una investigación exhaustiva sobre las irregularidades producidas en el caso y revisara la situación legal de los detenidos. También recomendaba que el procurador general hiciera públicas sus conclusiones. Ninguna de las recomendaciones fue aceptada y, por el contrario, el procurador general confirmó los cargos contra Antonio Francisco Valencia Fontes, Jesús Enrique Machi Ramírez y Armando Machi Bustamante. En septiembre, la Comisión solicitó al procurador general que

Sergio Machi Ramírez fue visto con vida por última vez cuando se encontraba a disposición de la policía judicial federal. Su cuerpo apareció tres días después, esposado y semi-carbonizado, lo que impidió su reconocimiento inmediato. Los presuntos responsables no han comparecido todavía ante la justicia.

se pusiera en libertad sin cargos a Antonio Francisco Valencia Fontes basándose en que se habían violado sus derechos constitucionales, petición que también fue desestimada. Antonio Francisco Valencia Fontes, Jesús Enrique Machi Ramírez y Armando Machi Bustamante seguían en prisión preventiva al cierre de esta publicación.

El paradero de Sergio Machi Ramírez no se conoció hasta noviembre de 1990. Tres días después de que su hermano y su abogado afirmaran haberle visto con vida bajo custodia, se encontraron en La Rumorosa, en las afueras de Mexicali, los restos de un cuerpo semicarbonizado, esposado y con una herida de bala en el cráneo. Los especialistas forenses tardaron casi un año en confirmar que los restos eran los de Sergio Machi Ramírez. Según los informes, se encontró una bala del calibre 45 en el lugar del crimen, pero no parece haberse realizado un examen balístico. Tampoco se ha tratado de determinar el origen de las esposas, aunque parecen ser similares a las que utilizan los agentes de orden público.

El 15 de marzo de 1991 la Comisión hizo públicos los resultados de su investigación sobre la desaparición y muerte de Sergio Machi Ramírez. Según estableció la Comisión, la policía judicial federal lo detuvo en Mexicali el 19 de noviembre y lo llevó a la jefatura local, donde estu-

---

15 Delito relacionado con estupefacientes.

vo incomunicado y fue torturado hasta que, alrededor del 23 de noviembre, día en que fue visto vivo por última vez, lo trasladaron a un lugar desconocido. La Comisión entrevistó a varios ex detenidos que habían visto a Sergio Machi Ramírez en las dependencias de la policía federal y que afirmaron que le habían torturado brutalmente con golpes, lo habían semi-asfixiado con agua y bolsas de plástico y le habían introducido una manguera en el recto para bombearle agua en el intestino. La Comisión recomendó al gobernador del estado y a la Procuraduría General de la República que se suspendiera de sus funciones a los presuntos responsables y se les hiciera comparecer ante la justicia. Sin embargo, en mayo de 1991 no parecía que se hubieran hecho efectivas estas recomendaciones.

Otro caso conocido en el que se hizo caso omiso de las recomendaciones de la Comisión en cuanto a la investigación de los hechos y el procesamiento de sus presuntos responsables es el de la muerte de tres hermanos, en enero de 1990, uno de los cuales había sido brutalmente torturado. La creencia general es que fueron ejecutados extrajudicialmente.

Los hechos comenzaron el 12 de enero de 1990 en Ciudad Juárez, estado de Chihuahua, fecha en que la policía judicial federal detuvo a dos de los hermanos, Héctor Ignacio y Sergio Máximo Quijano Santoyo, en relación con una investigación anti-narcóticos. Al día siguiente, la policía federal detuvo también al padre, Francisco Quijano García, en el bar que éste regentaba en la ciudad de México. Poco después de esta detención, otro de sus hijos, el ex agente de policía Francisco Flavio Quijano Santoyo, que había ido a visitar a su padre, se vio implicado en un tiroteo frente al bar con policías y una «madrina». Al parecer, los policías le dieron el alto a punta de pistola sin identificarse, Francisco Flavio Quijano creyó que iban a atracarle y arrebató la pistola a uno de los agentes, y se produjo un tiroteo en el que murieron dos policías federales.

Francisco Flavio Quijano consiguió huir, y su padre, que entonces ya estaba bajo custodia en la Procuraduría General de la República, fue interrogado sobre el paradero de su hijo, al parecer bajo tortura, y obligado a identificar su casa, en el estado de México. Las torturas que describió consistieron en palizas, semi-asfixia y la introducción de agua con gas en las fosas nasales. Francisco Quijano García declaró posteriormente que el día de su detención vio bajo custodia a uno de sus dos hijos detenidos en Ciudad Juárez, Héctor Ignacio Quijano Santoyo, a quien habían torturado brutalmente.

Erik Dante Quijano Santoyo
y Jaime Mauro Quijano
Santoyo fueron abatidos
a tiros por la policía.
Al parecer, ambos iban
desarmados y se habían
entregado.

37

Al día siguiente, 14 de enero, un escuadrón anti-narcóticos integrado por unos 50 agentes de la policía federal que viajaban en vehículos y helicópteros, rodeó la vivienda de la ex esposa de Francisco Quijano García en Ojo de Agua, estado de México. Buscaban al hijo fugitivo y llevaban consigo a Héctor Ignacio Quijano Santoyo. Francisco Flavio Quijano Santoyo no estaba ahí, pero sí otros dos hermanos suyos, Jaime Mauro y Erik Dante, que salieron de la casa con las manos en alto. Según declaraciones de otros miembros de la familia y de testigos presenciales de los hechos, la policía obligó a uno de los hermanos a arrodillarse y luego le disparó en la espalda a quemarropa, y mató al otro de un tiro cuando estaba con las manos levantadas. A continuación la policía allanó la vivienda y detuvo a las mujeres y a los niños, todos ellos menores de 10 años. Héctor Ignacio Quijano Santoyo fue llevado al interior de la casa, donde lo mataron de un disparo. Las mujeres y los niños fueron trasladados a la Procuraduría General de la República, en la ciudad de México, donde estuvieron detenidos hasta el 18 de enero, fecha en que los pusieron en libertad sin cargos.

El 19 de enero de 1990, Francisco Quijano García, que había estado desaparecido seis días, fue puesto en libertad sin cargos y denunció inmediatamente ante las autoridades la muerte de sus tres hijos, aunque no su propia detención y tortura. El caso recibió una gran publicidad en la prensa.

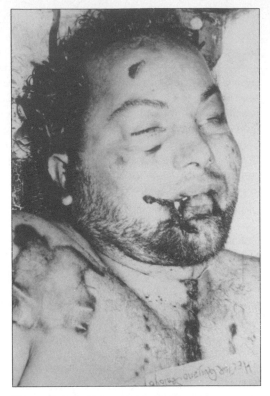

Fotografía tomada durante la autopsia de su hermano, Héctor Ignacio Quijano Santoyo, muerto en el mismo incidente.
Héctor había sido detenido varios días antes y, al parecer, torturado brutalmente.
El examen forense señaló lesiones debidas con toda probabilidad a golpes y quemaduras.

La policía declaró que los hermanos Quijano Santoyo habían muerto en un enfrentamiento armado, dato que desmintieron testigos presenciales y otras pruebas[16]. Según los primeros, los hombres iban desarmados, y las pruebas fotográficas sugerían que la policía había alterado el lugar de los hechos para adaptarlo a su versión del suceso. Un año después del incidente, en enero de 1991, la Comisión Nacional de Derechos Humanos recomendó a la Procuraduría General que abriera una investigación exhaustiva sobre la muerte de Erik Dante, Jaime Mauro y Héctor Ignacio Quijano Santoyo, y que se suspendiera en sus funciones a los agentes policiales implicados en las muertes mientras duraran las averiguaciones. En mayo de 1991 seguían sin cumplimentarse dichas recomendaciones.

Entre enero y junio de 1990, Francisco Quijano García siguió luchando para que se investigara la muerte de sus hijos. Denunció haber recibido amenazas de muerte por teléfono y de

16   Véase página 43.

personas que le abordaron en la calle. El 17 de junio, su hija Rosalba Quijano Santoyo declaró que había recibido llamadas telefónicas anónimas en las que la amenazaban de muerte si la familia continuaba dándole publicidad al caso.

Cuatro días después, el 21 de junio, Francisco Quijano García desapareció de su casa de la ciudad de México. El caso se llevó hasta la Comisión Nacional de Derechos Humanos, que acordó investigar las denuncias de que estaba detenido y solicitó autorización para buscarle en las dependencias de la Procuraduría General. La autorización fue concedida, pero la Comisión sólo obtuvo un acceso limitado al edificio y, por tanto, no pudo hacer una búsqueda completa. El presidente de la Comisión, doctor Jorge Carpizo, contactó entonces al procurador general quien, al parecer, le dijo que Francisco Quijano no estaba detenido y sugirió que quizá se había marchado al extranjero para reunirse con su hijo fugitivo.

Tras la desaparición de Francisco Quijano García, su hija presentó ante las autoridades judiciales una denuncia formal por secuestro. En marzo de 1991, la Procuraduría General del Distrito Federal anunció el hallazgo del cuerpo de Francisco Quijano García, afirmando que había fallecido el mismo día que desapareció, a manos de un socio que había sido detenido el 12 de marzo de 1991 y se había confesado autor del asesinato. Sin embargo, dos días después, el presunto culpable declaró ante el juez que había confesado bajo coacción. Los familiares de Francisco Quijano García han seguido pidiendo más investigaciones sobre la presunta participación de la policía judicial federal en su secuestro y asesinato.

El hermano superviviente, Sergio Máximo Quijano Santoyo, continúa en prisión preventiva en una penitenciaría de la ciudad de México. Según los informes, también lo torturaron tras la detención y una vez ingresado en prisión con palizas, semi-asfixia y el «tehuacanazo».

Factores que facilitan la tortura

Los principales factores que permiten que agentes de orden público practiquen la tortura en México son la violación sistemática de las salvaguardias constitucionales, determinados aspectos del sistema de justicia criminal mexicano que facilitan el uso de la tortura, las escasas ocasiones en que se investiga y se procesa a los autores de éstas, y la insuficiencia y pobreza de medios para buscar reparación de que disponen las víctimas y sus familiares.

La jurisprudencia, el derecho penal y los procedimientos legales mexicanos

Ciertos aspectos de la jurisprudencia, el derecho penal y los procedimientos legales mexicanos parecen facilitar la tortura a manos de los agentes de orden público.

Según la Constitución mexicana, el Ministerio Público tiene las funciones de investigar y perseguir ante los tribunales los delitos sobre los que tiene jurisdicción, solicitar mandamientos de detención, reunir y presentar pruebas contra los sospechosos, asegurar que los juicios se realizan de conformidad con la ley y pedir la imposición de la pena.

El agente del Ministerio Público es el fiscal responsable, ante la Procuraduría General del estado, de investigar y perseguir los delitos tipificados en el Código Penal del estado y, ante la Procuraduría General de la República, de perseguir los delitos tipificados como tales en la legislación federal. A su vez, las fuerzas de la policía judicial federal y de los estados, citadas con gran frecuencia en las denuncias de torturas, son órganos auxiliares del Ministerio Público y actúan bajo su dirección. Por último, la Procuraduría General de la República, responsable ante el poder ejecutivo, es el órgano supervisor en última instancia de todos los agentes federales del Ministerio Público de la nación, como son el procurador del Distrito Federal y cada uno de los procuradores generales de los estados responsables del Ministerio Público en su jurisdicción.

La combinación de las facultades de investigación y procesamiento que aúna la autoridad del agente del Ministerio Público, y la frecuente práctica por parte de la policía que depende de dicho Ministerio Público de utilizar las confesiones para sustanciar cargos criminales, parece facilitar el uso la tortura.

Por otra parte, las garantías constitucionales que prohíben la detención arbitraria y la reclusión en régimen de incomunicación se violan habitualmente. La Constitución mexicana permite la detención sin mandamiento judicial sólo en casos de flagrante delito y, en éstos, estipula que el detenido deberá ser llevado inmediatamente ante el juez. Sin embargo, las detenciones sin mandamiento judicial son una práctica común y ampliamente tolerada en el país.

De forma similar, la reclusión en régimen de incomunicación es habitual durante las fases iniciales de la detención e interrogatorio –el periodo en el que suele producirse normalmente la tortura– a pesar de que la Constitución mexicana prohíbe expresamente tal régimen de reclusión. La Constitución otorga al detenido derecho a consultar con un abogado desde el momento de la detención, y ha de comparecer ante el juez en el plazo de 24 horas, periodo durante el cual está bajo la custodia del agente del Ministerio Público. Según la ley mexicana, el periodo máximo de lo que se denomina averiguación previa no deberá exceder de 24 horas y comprende desde el momento de la detención del sospechoso hasta que éste comparece ante el juez. Éste, tras oír la declaración preparatoria del detenido, decide si ponerlo en libertad, acusarlo formalmente de algún delito u ordenar su detención durante un máximo de 48 horas. Nadie puede estar detenido más de tres días sin una orden formal de detención dictada por un juez. Sin embargo, estas disposiciones raramente se respetan, siendo la disposición de que el periodo máximo de detención bajo custodia del Ministerio Público es de 24 horas la que se burla con más frecuencia.

Uno de los aspectos del sistema de justicia criminal mexicano que más propicia la tortura y los malos tratos es el hecho de que se sigan aceptando las confesiones obtenidas bajo coacción durante el interrogatorio inicial, que constituyen a menudo la única prueba por la que se condena al encausado, pese a que la Constitución, otras leyes mexicanas y las normas internacionales prohíben explícitamente que se obligue a un procesado a declarar contra sí mismo.

Estas confesiones se obtienen habitualmente durante el periodo de averiguación previa, cuando el detenido está bajo la custodia de la policía o del agente del Ministerio Público, y durante el cual los detenidos rara vez tienen acceso a un abogado (o a un intérprete, cuando se trata de personas que no hablan el español). Por otro lado, a estas confesiones se les concede un peso legal superior al que se da a las declaraciones contradictorias subsiguientes que pueda prestar el encausado, incluso cuando éste afirma que hizo la primera confesión bajo tortura.

Además, el Tribunal Supremo de Justicia ha resuelto en algunas ocasiones que, una vez que se ha realizado una confesión, es el encausado quien ha de probar que se obtuvo de forma ilegal para que se excluya como prueba. Sin embargo, los tribunales rechazan habitualmente las pruebas médicas que presentan los procesados para respaldar sus denuncias de tortura, lo que menoscaba gravemente las garantías y derechos de las víctimas de ésta, consagrados en la Constitución mexicana y en la Convención de la ONU contra la Tortura y Otros Tratos o Penas Crueles, Inhumanos o Degradantes. También conculca las obligaciones contraídas por México en virtud de la Convención de la ONU contra la Tortura de investigar exhaustivamente todas las denuncias de tortura que presenten los procesados y de rechazar como prueba judicial toda confesión obtenida bajo tortura, salvo cuando sirva como prueba judicial de que se cometió el delito de tortura.

En un caso muy conocido, un procesado cuya denuncia de que había confesado bajo tortura había sido rechazada por el tribunal, pese a estar respaldada por un informe médico, murió presuntamente a consecuencia de lesiones internas provocadas por la tortura. Rubén Oropeza Hurtado, de 40 años, fue detenido sin mandamiento judicial el 29 de marzo de 1990 por la policía judicial federal en Tijuana, estado de Baja California Norte. Estuvo recluido ilegalmente en régimen de incomunicación hasta el 6 de abril, lo que sobrepasó en varios días el plazo legal de detención para la averiguación previa, y en dicha fecha el agente del Ministerio Público lo presentó ante el juez acusándolo de posesión de estupefacientes, cargo que había confesado en detención. En su declaración preparatoria ante el juez, Rubén Oropeza Hurtado negó los cargos y manifestó que había confesado debido a las graves torturas que le habían infligido agentes de policía y «madrinas». Su confesión era la única prueba en su contra. El juez ordenó un examen médico rutinario, cuyo informe certificó la existencia de algunas lesiones externas congruentes con las alegaciones de tortura.

A pesar de ello, el juez mantuvo los cargos y ordenó la prisión preventiva de Rubén Oropeza Hurtado, que ingresó en la penitenciaría estatal de La Mesa, en Tijuana, donde no recibió tratamiento médico adecuado para sus lesiones y, según otros presos, sufría constantes dolores. A finales de junio, Rubén Oropeza inició, junto con otros 60 internos de la penitenciaría de La Mesa, una huelga de hambre como protesta por los juicios injustos y las condenas basadas en confesiones obtenidas bajo tortura.

El 14 de julio, Rubén Oropeza Hurtado fue trasladado, con grandes dolores y en estado muy crítico, al servicio de urgencias de la Clínica de la Cruz Roja local, donde ese mismo día lo sometieron a una importante operación quirúrgica en la que se le extrajo gran parte de los intestinos. Los médicos declararon que tenía una hernia con complicaciones, causada por un golpe violento reciente que le había roto el diafragma, y calificaron su estado post-operatorio de crítico: su supervivencia dependía de que se le proporcionara alimentación permanente por vía intravenosa y un complejo tratamiento médico. Dado que la clínica de la Cruz Roja no disponía de estos medios, se consideraba urgente su traslado a un hospital en el que pudiera recibir el tratamiento adecuado. Las organizaciones locales de derechos humanos presionaron para que se le diera el tratamiento médico necesario y dieron a conocer su caso en toda la nación, planteándolo asimismo ante la Comisión Nacional de Derechos Humanos. Un mes después, el 15 de agosto, Rubén Oropeza Hurtado ingresó en la unidad de cuidados intensivos del Hospital General del Instituto Mexicano de Seguro Social, en Tijuana. Su estado seguía siendo crítico.

El 29 de agosto, la Comisión Nacional de Derechos Humanos concluyó su investigación del caso declarando que Rubén Oropeza Hurtado había sufrido torturas tras ser detenido y que lo habían obligado a confesar bajo coac-

Rubén Oropeza Hurtado murió en un hospital, aparentemente a consecuencia de lesiones abdominales causadas por la tortura. Los responsables no han comparecido ante la justicia.

ción. La Comisión recomendó que la Procuraduría General suspendiera inmediatamente en sus funciones a los agentes policiales implicados en la detención y torturas de Rubén Oropeza Hurtado, e iniciara actuaciones penales contra ellos, las «madrinas» que participaron en las torturas y los mandos encargados del caso.

Rubén Oropeza Hurtado falleció estando bajo custodia, el 1 de octubre, a las 3:15 horas de la madrugada. De acuerdo con el certificado de defunción emitido por el médico forense, la causa de la muerte fue una desnutrición derivada de una infección generalizada. El cuerpo fue incinerado dos días después, al parecer sin el consentimiento de su esposa. Al cierre de esta publicación, en mayo de 1991, la Procuraduría General aún no había tomado ninguna medida en relación con las recomendaciones de la Comisión. Hasta ahora, los presuntos responsables no han comparecido ante la justicia ni han sido suspendidos en sus funciones.

El papel de los médicos

En muchos casos de muerte de detenidos en los que se han denunciado torturas, las autopsias rutinarias no han logrado diagnosticar ni documentar adecuadamente violaciones de derechos humanos. Estas autopsias las realizan médicos forenses que trabajan en el servicio médico del Ministerio Público y, en los casos conflictivos, sus conclusiones suelen tender a corroborar la versión policial de los hechos.

Cinco días después de ser detenido por agentes de la policía del estado, los familiares de Jesús Manuel Martínez Ruiz encontraron su cuerpo enterrado en una fosa común del cementerio local de Villahermosa, estado de Tabasco. Un funcionario del cementerio les dijo que lo habían llevado unos agentes de la policía del estado el 5 de septiembre, al día siguiente de que Jesús Manuel Martínez Ruiz y otras tres personas fueran detenidas en un suburbio de Villahermosa.

La policía del estado admitió finalmente que Jesús Manuel Martínez Ruiz había muerto bajo custodia, pero declaró que estaba ebrio cuando lo detuvieron y que se había ahogado en su propio vómito. Para respaldar su versión, aportaron el informe de una autopsia realizada por médicos forenses del servicio médico del Ministerio Público. La petición de los familiares de que se exhumara el cuerpo para someterlo a una segunda autopsia fue denegada inicialmente.

Uno de los otros tres hombres que fueron detenidos al mismo tiempo que el fallecido y que salió en libertad sin cargos, Julio César Márquez Valenzuela, dio una versión muy distinta de la muerte de Jesús Manuel Martínez Ruiz. Este testigo declaró que la policía los detuvo a él, a Jesús Manuel Martínez Ruiz y a los otros dos hombres, y luego los llevó a una playa desierta cercana, en Centla, conocida como Miramar, y los torturó con patadas, golpes, descargas eléctricas y semi-asfixiándolos por inmersión en el mar, y que fue este último método de tortura el que ocasionó la muerte de Jesús Manuel Martínez Ruiz. Sus declaraciones fueron corroboradas posteriormente por las de uno de los agentes policiales implicados en la detención de los cuatro hombres.

Julio César Márquez Valenzuela manifestó que si se realizara una segunda autopsia, ésta revelaría que Jesús Manuel Martínez Ruiz había fallecido ahogado. También comunicó a los periodistas su intención de prestar declaración ante la Dirección General de Derechos Humanos (predecesora de la Comisión Nacional de Derechos Humanos) y acusó al procurador general y al jefe de la policía judicial del estado de encubrir el crimen.

El 13 de octubre de 1989, Julio César Márquez Valenzuela fue detenido de nuevo en Villahermosa por la policía del estado que, al parecer, lo obligó a confesarse autor de varios delitos, entre ellos dos de asesinato. Después ingresó en la cárcel del estado de Tabasco, en

Villahermosa, en calidad de preso preventivo. Ese mismo mes los familiares de Jesús Manuel Martínez Ruiz denunciaron que estaban siendo amenazados por la policía judicial del estado.

El 24 de octubre, el procurador general del estado autorizó la exhumación del cuerpo para que se realizara una segunda autopsia, declarando que ésta la efectuarían médicos independientes si así lo deseaba la familia. La autopsia fue hecha el 7 de noviembre por los médicos designados por las autoridades estatales y federales: el Ministerio de Salud Pública, el Colegio Médico de Tabasco, la Procuraduría General y la Dirección General de Derechos Humanos, y en su informe los facultativos concluyeron que el cuerpo «no muestra otros datos que puedan variar los resutados de la primera autopsia». Sin embargo, se descubrió que, contrariamente a lo que establece la ley, tanto el corazón como los pulmones habían sido extraídos en la primera autopsia, lo que imposibilitaba determinar la causa exacta de la muerte. A petición de la familia, la Dirección General de Derechos Humanos solicitó un nuevo análisis de laboratorio de algunas partes del cuerpo, pero las autoridades del estado declararon que no había ningún delito que perseguir y cerraron el caso.

El caso fue sometido de nuevo a estudio, unos meses después, por la Comisión Nacional de Derechos Humanos. En septiembre de 1990, la Comisión formuló una serie de recomendaciones al gobernador del estado de Tabasco, que incluían la reapertura de las investigaciones sobre la muerte de Jesús Manuel Martínez Ruiz; la suspensión en sus funciones y la comparecencia ante la justicia de todo funcionario de orden público implicado; y que se prestara protección a los familiares de la víctima y a los testigos, que habían recibido amenazas. No obstante, se ha hecho caso omiso de la mayoría de las recomendaciones de la Comisión. Julio César Márquez Valenzuela sigue en prisión preventiva y ha recibido, al parecer, amenazas de muerte debido a su testimonio.

Una línea de conducta similar, es decir, autopsias inadecuadas del servicio médico del Ministerio Público que sustancian la versión policial de los hechos, se ha dado en otros casos. En el de los tres hermanos Quijano Santoyo, muertos en enero de 1990, la policía judicial federal afirmó que habían fallecido en enfrentamientos armados y que los tres llevaban chalecos antibala. Los resultados de las autopsias, realizadas por el Servicio Médico Forense del Distrito Federal, no cuestionaron esta versión de los hechos. Amnistía Internacional obtuvo copias de los informes de la autopsia y de fotografías de los cuerpos y los envió para su análisis al Instituto de Medicina Forense de Cook County, en Chicago, EE UU. El Instituto concluyó que «la distribución y trayectoria de las heridas de bala es congruente con asesinatos estilo ejecución y es sumamente improbable que fueran resultado de heridas sufridas en un tiroteo». El Instituto también halló discrepancias en el informe de la autopsia de Héctor Ignacio Quijano Santoyo, pues no se hacía referencia en él a las lesiones sufridas por la víctima antes de su muerte, que se distinguían claramente en una fotografía del cuerpo adjunta al informe, como las «lesiones traumáticas contundentes en la cara y lesiones no explicadas en el pecho, que podrían deberse a quemaduras».

El Ministerio Público facilita rara vez tratamiento médico adecuado a los detenidos que denuncian haber sido torturados, ni siquiera cuando hay señales y síntomas evidentes de tortura. Un detenido murió bajo custodia poco después de que le examinaran dos médicos forenses que concluyeron que no tenía lesiones que hicieran temer por su vida.

Impunidad de los responsables

Un factor importante en el hecho de que la tortura esté generalizada es la impunidad casi total de que gozan los torturadores. Los agentes policiales implicados rara vez son objeto de una investigación y, aún menos, de juicio.

En octubre de 1990, Jorge Carpizo, presidente de la Comisión Nacional de Derechos Humanos, reconoció el problema en unas declaraciones públicas: «Ni sádicos ni transtornados. Los policías que torturan están convencidos de que están llevando a cabo una de las actividades propias de su labor. Saben que en la mayoría de los casos, aunque se les pase la mano y lleguen incluso al homicidio, no tendrán castigo porque sus jefes, por sentido de equipo, los defenderán o encubrirán [...].»

En septiembre de 1990, Javier Coello Trejo, subprocurador de Investigación y Lucha contra el Narcotráfico, respondió a las crecientes críticas por las violaciones de derechos humanos que cometían los agentes federales anti-narcóticos bajo su mando, asegurando que las guerras contra el narcotráfico tenían que hacerse con puño de hierro y que a los narcotraficantes, cuando eran atrapados, no se los podía capturar con caricias[17]. Javier Coello ya había sido blanco de las críticas cuando dos de sus guardaespaldas personales fueron acusados formalmente, en marzo de 1990, de participar en una serie de violaciones perpetradas en la ciudad de México.

A mediados de octubre de 1990, Javier Coello Trejo fue relevado de su responsabilidad en la investigación contra el narcotráfico y ascendido al cargo de Procurador Federal del Consumidor. Su antigua oficina fue disuelta y sustituida por la Coordinación General de Investigación y Lucha contra el Narcotráfico, una de cuyas funciones, según el gobierno, era prevenir las violaciones de derechos humanos durante las investigaciones contra el narcotráfico, aunque siguieron recibiéndose denuncias de torturas y otros abusos cometidos por sus agentes.

Las entidades que siguen la situación de los derechos humanos en México han pedido una investigación sobre las reiteradas acusaciones de que los agentes de la policía judicial federal bajo el mando de Javier Coello Trejo habían cometido numerosas violaciones de derechos humanos, ya que, como expresó María Teresa Jardí, abogada de la organización independiente Comisión de Solidaridad y Derechos Humanos: «Los crímenes no deben quedar impunes. No debe prevalecer la impunidad. Porque los funcionarios públicos de todos los niveles, llegando al presidente de la República, se convierten en cómplices. Y esto ya pasa a ser un mecanismo de poder.» Sin embargo, y a pesar de sus esfuerzos, la impunidad sigue prevaleciendo.

De los cientos de casos denunciados de torturas, algunos de ellos con resultado de muerte, y muchos documentados y conocidos públicamente, pocos han investigado los tribunales.

Las denuncias de torturas son a menudo difíciles de probar, dado que éstas ocurren casi siempre cuando los detenidos están incomunicados por la policía, sin acceso a abogados, médicos o familiares y, por tanto, no pueden presentar testigos que respalden sus alegaciones. Además, muchas de las técnicas empleadas para torturar a los detenidos están concebidas para que no dejen señales. Aun en los casos en que hay pruebas médicas y otras testimoniales que corroboran las alegaciones de tortura de los detenidos, muchas veces los jueces han resuelto que no guardan relación con las confesiones de los detenidos y se han negado a investigar los hechos denunciados.

En febrero de 1990, Carlos Gilberto Morán Cortez, ex presidente de la Asociación de Abogados «Eustaquio Buelna», del estado de Sinaloa, difundió un caso en el que dos retrasados mentales, detenidos por la policía del estado en Zapote de los Cázarez, Mocorito, estuvieron presuntamente incomunicados tres días y fueron torturados con electricidad. El juez que instruyó el caso se negó a admitir como prueba los certificados médicos relativos a las torturas. El abogado de los detenidos presentó posteriormente una denuncia formal ante el Ministerio Público, pero no se tomó ninguna medida.

---

17 Reuters, 30 de septiembre de 1990.

Unos días después, y ante la publicidad que había obtenido el caso, el presidente del Supremo Tribunal de Justicia de Sinaloa instó a los acusados bajo custodia policial a que presentaran pruebas de las torturas que pudieran haber sufrido, afirmando que los jueces estaban obligados a admitir las pruebas de malos tratos y torturas y a revisar toda confesión que pudiera haberse hecho bajo coacción, así como a perseguir a los responsables. Asimismo, manifestó que no podía tolerarse la tortura.

El 10 de febrero de 1990 murió Jorge Juárez Paz, pescador de 55 años de edad, en la prisión municipal de Huimanquillo, estado de Tabasco. Al parecer, había sido detenido la noche anterior y unos agentes de policía lo golpearon en la prisión hasta matarlo. El certificado de defunción emitido por la Procuraduría General del estado daba como causa de la muerte un paro cardiorrespiratorio. El Comité de Derechos Humanos de Tabasco denunció formalmente que Jorge Juárez Paz había muerto a manos de la policía, pero, que sepa Amnistía Internacional, no se ha investigado su denuncia.

En abril de 1990 Amnistía Internacional recibió informes del estado de Baja California Norte, según los cuales en el plazo de 10 días habían muerto dos personas bajo la custodia de la policía federal en Tijuana. El certificado de defunción oficial atribuía la muerte de Francisco Díaz Barriga, de 25 años, a un ataque al corazón. En el caso de Enrique Rubio Castañeda, de 60 años, el certificado oficial daba sólo como causa de la muerte un «síndrome de abstinencia». En ambos casos había motivos fundados para poner en entredicho las alegaciones de la policía. Otros detenidos denunciaron que el cuerpo de Enrique Rubio Castañeda tenía señales de tortura, como inflamación de los genitales y magulladuras. Además, otros dos jóvenes que estuvieron en el mismo centro de detención durante el mismo periodo de tiempo afirmaron también haber sufrido torturas. Al parecer, ambos tenían las manos hinchadas, magulladuras por todo el cuerpo y quemaduras resultado de torturas con picanas eléctricas. Que Amnistía Internacional sepa, no se han investigado estas denuncias.

A finales de 1990 Amnistía Internacional recibió nuevos informes de torturas en el estado de Baja California Norte, en la forma de detallados testimonios de 86 reclusos de la penitenciaría estatal de La Mesa, en Tijuana, obtenidos entre julio y agosto de 1990. Los 86 presos alegaban que se confesaron autores de los delitos por los que fueron encarcelados después de ser torturados por la policía. Entre los métodos de tortura descritos figuraban la semi-asfixia con bolsas de plástico, la tortura eléctrica, la introducción de agua con gas en las fosas nasales, palizas y amenazas. Muchos de los testimonios están documentados con certificados médicos en los que constan secuelas que podrían deberse a los tratos denunciados, pero según la información de que dispone Amnistía Internacional, estas documentadas denuncias de tortura no se han investigado.

Incluso cuando se han realizado investigaciones sobre denuncias de tortura, rara vez han culminado en el procesamiento de los supuestos responsables. En el estado de Quintana Roo, por ejemplo, los agentes de la policía judicial federal parecen poder actuar con impunidad; a pesar de que han estado implicados con frecuencia en violaciones de derechos humanos, los agentes responsables no han comparecido ante la justicia.

En un caso de muerte de un detenido, ya ha transcurrido casi un año sin que se haya ordenado ningún procesamiento: el único policía detenido, de los varios implicados, logró huir y ocultarse. El 6 de junio de 1990, un grupo de agentes federales antinarcóticos obligó a subir a punta de pistola a un vehículo a Jorge Argáez, José Pérez y Amílcar Vallejos, tres pescadores de Isla Mujeres, en Quintana Roo, a quienes trasladaron a la ciudad de Cancún. Al parecer, mientras estuvieron en régimen de incomunicación, los detenidos fueron interrogados bajo tortura sobre delitos relacionados con estupefacientes. Al día siguiente, José Pérez y Amílcar Vallejos fueron puestos en libertad sin cargos, aunque el último tuvo que ingresar en un hospital local debido a traumatismos múltiples. Ese mismo día, a las 6 de la tarde, unos agentes de la policía judicial federal abandonaron a Jorge Argáez frente al Hospital General de Cancún. Ingresado en dicho centro en muy mal estado, Jorge Argáez murió dos días después. Antes de fallecer relató a los médicos que le atendían las torturas que habían sufrido él y sus dos amigos.

El 14 de junio el Congreso del estado de Quintana Roo condenó públicamente todos los casos de violaciones de derechos humanos y pidió que los responsables de la tortura de los tres pescadores y del asesinato de Jorge Argáez comparecieran ante la justicia. Sin embargo, las investigaciones se desarrollaron con lentitud. A finales de junio sólo se había detenido a uno de los policías implicados en los hechos, que logró huir al día siguiente de su detención. El 20 de junio, el Colegio de Abogados de Cancún denunció públicamente las «notorias irregularidades» de que adolecía la investigación, pero en mayo de 1991 aún no se sabía de nuevas actuaciones en el caso.

En otro caso ocurrido en el Distrito Federal, cinco agentes de la policía fueron acusados formalmente en relación con la muerte de un detenido. El 29 de marzo de 1989, la Procuraduría General del Distrito Federal admitió la responsabilidad de cinco agentes de la policía judicial en la muerte bajo custodia de Octavio Hernández Pérez. Éste había sido detenido el 26 de marzo y conducido a la Agencia 14 del Ministerio Público, en Azcapotzalco, acusado de posesión de marihuana. Ahí, en los interrogatorios, lo golpearon hasta matarlo. Su cuerpo fue encontrado después dentro de un automóvil abandonado. Según la autopsia, la muerte de Octavio Hernández Pérez se había debido a «traumatismo craneoencefálico». El 1 de abril de 1989 se dictaron sendos mandamientos de detención por cargos de homicidio y delitos conexos contra los cinco agentes supuestamente responsables, pero parece ser que éstos habían huido. En mayo de 1991 seguían, al parecer, sin comparecer ante la justicia.

En un caso sucedido en el estado de Durango, parece ser que el gobernador del estado reprendió severamente a la policía judicial federal por torturar a detenidos, pero no se iniciaron, sin embargo, actuaciones penales contra ellos. El caso afectaba a Luis Ángel Tejada Espino, conocido político del estado y miembro del Partido Revolucionario Institucional, en el poder, y a Gabino Carrillo Monárrez, que en noviembre de 1989 estaban en prisión preventiva por delitos relacionados con estupefacientes. Al parecer, unos agentes de la policía federal los sacaron, sin el consentimiento del juez, del Centro de Readaptación Social donde estaban recluidos y se los llevaron a las dependencias de la Procuraduría General de la República en la ciudad de México, donde los torturaron con palizas y semi-asfixia para obligarlos a confesarse autores de delitos relacionados con la droga. Dos días después los trasladaron de nuevo a Durango. En diciembre de 1989 se presentó una denuncia formal por traslado ilegal de prisioneros y por torturas, pero en mayo de 1991 aún no se habían abierto actuaciones penales contra los supuestos responsables de la tortura, ni se había revisado la situación legal de los reclusos a tenor de sus denuncias de que confesaron bajo tortura.

Uno de los pocos casos en que se han iniciado procedimientos es el de la muerte bajo custodia de Ubaldo Santillán Aguilar en el estado de Aguascalientes. Ubaldo Santillán Aguilar, de 22 años, murió el 23 de enero de 1990, día en que fue detenido en la capital del estado por tres agentes de la policía estatal que investigaban un robo. Estuvo incomunicado en las dependencias locales de la policía y fue torturado con palizas e inmersión reiterada de la cabeza en un contenedor de agua. El informe de la autopsia atribuía la muerte a «asfixia por sumersión». El procurador general del estado prometió una investigación exhaustiva del caso, que calificó de «incidente aislado». Sin embargo, el director de la policía del estado declaró que Ubaldo Santillán Aguilar había fallecido porque a los agentes policiales bajo su mando «se les pasó la mano». Fueron detenidos tres policías, que comparecieron ante el juez y éste ordenó su detención por homicidio. Dos de ellos habían sido acusados anteriormente de malos tratos y de causar lesiones a otros detenidos, a consecuencia de lo cual uno estaba bajo investigación. Sin embargo, ambos seguían en servicio activo cuando Ubaldo Santillán Aguilar fue detenido.

La ineficacia de los remedios legales

Las víctimas de la tortura pueden solicitar reparación, pero los remedios son muy poco eficaces y están fuera del alcance de la mayoría de la gente. Además, como ya ha quedado ilustrado en otras partes de este informe, las víctimas y familiares que deciden solicitar reparación sufren hostigamiento, intimidación y, en algunos casos, secuestros y torturas.

Los procesados y sus abogados pueden apelar las condenas basadas en confesiones obtenidas bajo coacción y en otras pruebas obtenidas ilegalmente a través del «recurso de amparo», mecanismo que permite a los individuos recusar los actos de las autoridades estatales o federales que conculquen las garantías individuales que consagra la Constitución. Sin embargo, este remedio constitucional es, según parece, ineficaz en la mayoría de las denuncias presentadas por procesados acusados de delitos comunes que han alegado coacciones por agentes encargados de hacer cumplir la ley, dado que la primera confesión puede usarse para condenar al inculpado, aun cuando éste pruebe que se obtuvo por la fuerza y bajo coacción.

Por otra parte, el recurso de amparo sirve de poco en los casos de detención clandestina, porque sólo es admisible cuando se sabe cuáles son las autoridades responsables de la detención y se conoce el paradero del detenido. También es limitado al tener únicamente jurisdicción local. Cuando se traslada a los detenidos de un estado a otro, éstos o sus abogados han de presentar una nueva declaración ante la correspondiente autoridad.

En cualquier caso, el recurso de amparo es inaccesible para la mayoría de aquéllos que más necesitados están de protección: muchos detenidos acusados de delitos comunes y que, por tanto, corren peligro de ser torturados, proceden de los sectores sociales más pobres y no tienen ni los medios materiales ni los conocimientos necesarios para utilizarlo.

Además, cuando ha llegado a concederse el recurso de amparo al detenido, esta concesión rara vez ha ido seguida del procesamiento de los responsables de la violación de sus derechos constitucionales.

Aunque la ley garantiza que todo detenido por delitos comunes tiene derecho a consultar a un abogado durante el periodo inicial de detención bajo custodia del Ministerio Público, en la práctica este derecho se reserva únicamente para quienes son detenidos de conformidad con la ley, es decir, por mandamiento judicial o en flagrante delito, y son llevados inmediatamente a presencia judicial y pueden permitirse pagar a un abogado: es decir, una minoría.

Sólo después de que el acusado comparezca ante el juez se le designa un abogado defensor. El estado no está obligado a facilitar dicho abogado durante el periodo de detención prejudicial o de averiguación previa, aunque los detenidos sí tienen derecho a llamar a un abogado particular. En algunos casos en que se ha presentado un abogado, éste se ha enfrentado a todo tipo de impedimentos para ejercer su labor o ha sido, a su vez, detenido.

Vastos sectores de la población tienen escaso conocimiemto de sus derechos y garantías constitucionales y tienen pocos medios para averiguarlos por sí mismas. Esto sólo puede propiciar la práctica de abusos por parte de los miembros de las fuerzas de seguridad. El hecho de que sus casos lleguen a conocimiento de la opinión pública se debe en gran medida a la labor de activistas independientes de derechos humanos, labor que la creciente inquietud que suscitan los derechos humanos en el país ha fomentado.

El 28 de julio de 1989, Juan Ignacio Orozco Villagómez fue detenido, junto con otras dos personas, en el Distrito Federal para ser interrogado en relación con un asesinato. A pesar de que se vio su automóvil estacionado en el edificio de la policía judicial del Distrito Federal, las autoridades negaron inicialmente la detención. Después de cinco días en régimen de incomunicación, en los que fue torturado, y tras la presentación por sus familiares de un recurso de amparo, el detenido fue llevado ante el juez. Al día siguiente, se le tomó declaración sin estar presente un abogado; al parecer, nadie informó al detenido ni a su familia de su derecho a disponer de uno. El Ministerio Público mantuvo posteriormente que la declaración de Juan Ignacio Orozco Villagómez se realizó en presencia de un abogado de oficio, aunque unos 10 testigos lo desmintieron.

El derecho a solicitar reparación se ve gravemente menoscabado por el hecho de que víctimas, testigos y familiares son amenazados, hostigados y, a veces, incluso asesinados cuando tratan de hacerlo. Estos esfuerzos para subvertir la justicia rara vez reciben castigo. El resultado es que la mayoría de las personas que han sufrido o presenciado torturas o malos tratos están demasiado atemorizadas para denunciarlo formalmente. Además, los activistas de derechos humanos que documentan e informan de casos de tortura y malos tratos también han sido amenazados.

En abril de 1990, Víctor Clark Alfaro, director del Centro Bi-Nacional de Derechos Humanos de Tijuana, publicó los resultados de una investigación sobre torturas infligidas a niños que se encontraban bajo la custodia del sistema judicial para menores de Tijuana. Entre el 15 de enero y el 30 de marzo de 1990 se habían documentado 76 casos. De ellos, 47 víctimas habían sido presuntamente torturadas por la policía judicial del estado, 14 por la policía municipal, tres por la policía judicial federal y 12 por empleados del Consejo de orientación y reeducación para menores infractores de conducta antisocial.

El 13 de junio de 1990, Víctor Clark Alfaro recibió al parecer una llamada telefónica anónima en la que se le amenazaba de muerte por sus investigaciones. Ese mismo día recibió una segunda llamada en la que le advertían que abandonara su labor. Víctor Clark Alfaro cree que las amenazas fueron obra de agentes policiales implicados en los casos de tortura de menores que documentaba en sus informes.

En otro caso ocurrido en la ciudad de México, un hombre vestido de civil dio el alto en la calle, a punta de pistola, a Mariana Rodríguez Villegas, secretaria, y la interrogó sobre el paradero de la esposa y los hijos de su jefe, amenazando con matar a éste si proseguía con su trabajo. Mariana Rodríguez Villegas trabaja para el conocido periodista y profesor Jorge Castañeda, que había publicado hacía poco un artículo en el que implicaba a la policía federal en violaciones de derechos humanos, y al que el gobierno se había visto obligado a responder.

Jorge Castañeda denunció el incidente y presentó denuncia oficial ante los tribunales. Recibió una llamada telefónica personal del presidente Salinas en la que éste le aseguraba que el gobierno no era responsable. Tres días después, Mariana Rodríguez Villegas, que había identificado a los agentes de la policía federal que la amenazaron sirviéndose de unas fotografías que le mostraron en las dependencias policiales, fue abordada de nuevo en la calle y amenazada de muerte si seguía colaborando en las investigaciones.

Recomendaciones

La Convención contra la Tortura y Otros Tratos o Penas Crueles, Inhumanos o Degradantes (ONU), de la que México es Estado parte, obliga al gobierno a tomar medidas legislativas, administrativas, judiciales o de otra índole para impedir los actos de tortura tanto a nivel federal como estatal y llevar a los responsables ante la justicia.

Amnistía Internacional insta al gobierno mexicano a que lleve a la práctica las siguientes recomendaciones a fin de dar cumplimiento a las obligaciones que tiene contraídas en virtud de la Convención. Muchas de estas recomendaciones se refieren a medidas que exigen las normas internacionales para la protección de los derechos humanos, como el Conjunto de Principios para la protección de todas las personas sometidas a cualquier forma de detención o prisión (ONU). Algunas de dichas medidas han sido ya adoptadas formalmente por el Estado mexicano, pero siguen sin ser aplicadas en su totalidad en la práctica.

1. Prevención de las detenciones arbitrarias

— Todas las detenciones deberán ser practicadas bajo estricto control judicial y únicamente por personal autorizado.

— Los funcionarios de orden público deberán identificarse adecuadamente y exhibir el correspondiente mandamiento judicial en el momento de practicar la detención.

— Todas las personas deberán ser informadas, en el momento de su detención, de los motivos concretos de ésta.

— Todos los detenidos deberán recibir, asimismo, una explicación verbal y escrita, en un idioma que entiendan, de cómo valerse de sus derechos legales, incluyendo el de presentar denuncias por malos tratos.

— Deberá prohibirse que las fuerzas armadas que practiquen detenciones mantengan a personas detenidas bajo su custodia e interroguen a civiles.

— La conculcación de estas salvaguardias deberá conllevar la imposición de sanciones disciplinarias o la comparecencia ante la justicia de los responsables.

2. Prevención de la detención en régimen de incomunicación

— Todos los detenidos deberán ser presentados ante un juez a la mayor brevedad tras su detención y en el plazo que establece la ley.

- Toda persona detenida en flagrante delito deberá ser llevada inmediatamente ante un juez.

- Todos los detenidos deberán tener acceso a familiares y abogados sin demora tras su detención y regularmente durante el tiempo que permanezcan detenidos o en prisión.

- El gobierno deberá proporcionar asesoramiento legal gratuito a los encausados que no dispongan de medios. Además, deberá facilitar los servicios de un intérprete a los encausados que no sean de habla hispana.

- -Toda detención deberá comunicarse inmediatamente a los familiares del detenido, a quienes se mantendrá al corriente del paradero de éste en todo momento.

- Las resoluciones que se dicten en los recursos de amparo formulados en los casos de detención, incluyendo los de detención no reconocida, irregular o arbitraria, deberán poder ejecutarse efectivamente en todo México.

- Los detenidos y presos únicamente podrán estar en centros de reclusión oficiales y conocidos, una lista de los cuales deberá difundirse ampliamente.

- Todos los centros de detención deberán llevar un registro detallado y actualizado, encuadernado y con las páginas numeradas, de la hora de la detención y la identidad de quienes la practicaron, así como de la hora en que el detenido compareció ante el agente del Ministerio Público y ante la autoridad judicial.

3. Control estricto de los procedimientos de interrogatorio

- El interrogatorio deberá realizarse en presencia de un abogado para asegurar que las declaraciones que se toman como prueba al detenido se prestan libremente y no como resultado de coacciones.

- Además del abogado, en el interrogatorio de mujeres detenidas deberá estar presente una funcionaria.

- Los niños sólo podrán ser interrogados en presencia de uno de sus padres o de un familiar próximo.

- Deberá hacerse constar con claridad en un registro la fecha, hora y duración de cada periodo de interrogatorio, así como los nombres de todas las personas presentes en el mismo. Estos registros estarán abiertos al examen judicial y a la inspección de los abogados y familiares de los detenidos.

- El gobierno deberá publicar las directrices vigentes que rigen los procedimientos de interrogatorio y revisar periódicamente tanto dichos procedimientos como la práctica, invitando a que colaboren y formulen recomendaciones los grupos de derechos civiles, los abogados defensores, los colegios de abogados y otras partes interesadas.

4. Separación de poderes entre la autoridad responsable de la detención y la responsable del interrogatorio de los detenidos

- Deberá haber una separación clara y total de poderes entre las autoridades responsables de la detención y las responsables del interrogatorio de los detenidos, lo que permitirá que un organismo que no intervenga en el interrogatorio supervise el estado y la seguridad física de los detenidos.

— Por tanto, deberán revisarse de acuerdo a dichos principios las funciones del Ministerio Público, actualmente responsable de la detención, y del interrogatorio del detenido y la apertura de actuaciones penales contra éste.

5. Prohibición del uso de confesiones obtenidas bajo tortura

— -Nunca deberán admitirse en los procedimientos legales las confesiones obtenidas mediante torturas u otros malos tratos, salvo como prueba contra los autores de tales actos.

— Deberán revisarse las sentencias impuestas a los encausados que fueron condenados sobre la base de confesiones obtenidas bajo coacción.

— Cuando el detenido alegue que su confesión se obtuvo bajo tortura, será en las autoridades responsables de la detención y del interrogatorio en quienes recaiga la carga de la prueba debiendo demostrar que la confesión se hizo voluntariamente y que no se produjeron torturas ni malos tratos.

6. Aplicación de salvaguardias judiciales

— Los jueces deberán ser enérgicos a la hora de examinar la legalidad de la detención y el estado físico del detenido, y de investigar todas las alegaciones de tortura.

— Deberán incorporarse a la legislación y a la práctica legal mexicanas las normas internacionales relativas al poder judicial, incluyendo las contenidas en los Principios Básicos relativos a la Independencia de la Judicatura (ONU), en interés de un poder judicial auténticamente independiente e imparcial.

7. Aplicación de la supervisión judicial de la detención

— Cualquier forma de detención o prisión y todas las medidas que afecten a los derechos humanos del detenido o preso deberán estar sometidas al control efectivo de una autoridad judicial.

— El gobierno deberá prestar especial atención para asegurarse de que los detenidos más vulnerables en razón de su edad o sexo no sufran torturas, malos tratos ni hostigamiento.

— Deberá prohibirse estrictamente el internamiento de menores en prisiones para adultos.

— Todos los centros de reclusión deberán recibir la visita e inspección regulares de los representantes de un órgano independiente. Estos inspectores deberán efectuar sus visitas sin preaviso.

— Todo detenido o preso deberá tener derecho a comunicarse con entera libertad y confidencialidad con los inspectores. Éstos deberán tener acceso sin restricciones a todos los registros pertinentes y la facultad de recibir y tramitar las denuncias de los detenidos.

- El órgano de inspección deberá elaborar informes pormenorizados sobre los resultados de cada visita y asegurarse de que se tomen las medidas oportunas para subsanar todos los defectos relativos al trato de detenidos y presos.

- El órgano de inspección deberá también formular recomendaciones para mejorar las condiciones de reclusión, de conformidad con wlas Reglas mínimas para el tratamiento de los reclusos (ONU).

8. Garantías médicas adecuadas

- Deberá crearse un servicio médico forense independiente, administrativamente autónomo, que provea dictámenes forenses en todo el ámbito nacional.

- Los detenidos y presos deberán ser sometidos a exámenes médicos con regularidad, que realizarán profesionales independientes bajo la supervisión de una asociación profesional, de conformidad con los siguientes principios:

  - Todos los detenidos deberán ser sometidos a un examen médico sin dilación después de la detención y antes del interrogatorio.

  - Los detenidos deberán recibir un examen médico cada 24 horas durante el periodo de interrogatorio; de forma frecuente y regular a lo largo del tiempo que permanezcan detenidos y presos; e inmediatamente antes de ser trasladados a otro centro o puestos en libertad.

  - Dichos exámenes deberán ser realizados personalmente por el médico autorizado, quien deberá explicar al detenido la importancia de que exista constancia completa y actualizada de su estado.

  - Los detenidos deberán ser informados de la importancia de estos exámenes médicos en la notificación escrita de sus derechos.

  - Los exámenes deberán ser efectuados en privado y exclusivamente por personal médico, y se dispondrá de las salvaguardias adecuadas para el examen de mujeres.

  - Todo detenido deberá tener acceso a un oficial médico en cualquier momento, cuando dicha petición sea razonable.

  - Deberá llevarse un control de fichas médicas pormenorizadas de los detenidos en los que figurará su peso, estado nutricional, señales visibles en el cuerpo, estado psicológico y sus quejas sobre su estado de salud o el trato recibido.

  - Estas fichas deberán ser confidenciales, pero su contenido se comunicará, a petición del detenido, a un abogado, a sus familiares o a las autoridades encargadas de investigar el trato de los reclusos.

  - Todos los detenidos deberán tener derecho a recibir exámenes médicos de su propio médico a petición del propio detenido o de su abogado o su familia.

- El examen médico de las presuntas víctimas de violaciones de derechos humanos sólo deberá realizarse en presencia de testigos independientes: un profesional de la salud designado por la familia, el abogado de la víctima o un profesional designado por una asociación médica independiente.

- Los médicos forenses deberán poseer la formación y disponer de los recursos necesarios para poder diagnosticar todas las formas de tortura y de malos tratos.

- En todos los casos de muerte bajo custodia, las investigaciones forenses deberán ser conformes con las normas internacionales, incluyendo los Principios sobre la Eficaz Prevención e Investigación de Ejecuciones Extralegales, Arbitrarias y Sumarias (ONU).

9. Investigación de todas las denuncias de tortura

- Todas las denuncias de posibles casos de tortura o malos tratos deberán ser investigadas exhaustiva e imparcialmente.

- La autoridad investigadora deberá tener facultades para obtener toda la información necesaria para sus averiguaciones, los medios económicos y técnicos suficientes para realizar una investigación efectiva, y autoridad para obligar a quienes sean acusados de torturas a que comparezcan y testifiquen.

- Todo funcionario del gobierno que sospeche que se han cometido torturas deberá denunciarlo a las autoridades competentes, que deberán investigar exhaustivamente dichas denuncias.

- La ausencia de denuncia por parte de la víctima o de sus familiares no deberá impedir la investigación de los hechos.

- La Comisión Nacional de Derechos Humanos deberá tener independencia formal y plena y poder demostrar que está libre de presiones e influencias gubernamentales.

- La Comisión deberá disponer de los medios y las facultades de investigación adecuados para llevar a cabo sus funciones efectivamente.

- Las autoridades responsables de instar la apertura de procedimientos penales cumplirán las recomendaciones de la Comisión, teniendo que rendir, en caso contrario, cuentas de su incumplimiento.

- Deberá investigarse exhaustiva e imparcialmente la participación o complicidad de los profesionales de la salud en actos de tortura o de malos tratos. Deberán incoarse medidas disciplinarias contra todo el personal médico que infrinja los Principios de Ética Médica de la ONU. Todo acto delictivo cuya comisión quede demostrada deberá remitirse a los tribunales.

10. Comparecencia de los torturadores ante la justicia

- Todo agente encargado de hacer cumplir la ley o persona que actúe bajo su dirección que sea responsable de cometer torturas o de ordenar, fomentar o consentir la práctica de la tortura deberá comparecer ante la justicia.

- Todo agente encargado de hacer cumplir la ley acusado en relación con un delito de torturas deberá ser suspendido inmediatamente en aquellas de sus funciones directamente relacionadas con la detención de personas y con la custodia e interrogatorio de detenidos. Si es declarado culpable, será relevado automáticamente de sus funciones, independientemente de las penas que imponga el tribunal.

- La acción penal emergente del delito de torturas no deberá estar sujeta a prescripción.

11. Protección de víctimas y testigos

– El gobierno deberá asegurarse de que se tomen todas las medidas necesarias para prevenir los ataques y amenazas contra víctimas de la tortura y sus familiares, los testigos de violaciones de derechos humanos y los activistas de derechos humanos de México, y de que todos los responsables de tales actos comparezcan ante la justicia.

12. Indemnización a las víctimas de la tortura

– Todas las víctimas de la tortura deberán recibir el tratamiento médico y la rehabilitación necesarios, así como una indemnización económica proporcional a los abusos de que hayan sido objeto.

– Cuando se demuestre que la muerte de un detenido se produjo a consecuencia de torturas o malos tratos, los familiares del fallecido deberán recibir una indemnización por daños compensatoria y ejemplar.

13. Promoción del respeto a los derechos humanos

– Todos los centros de reclusión del país deberán exhibir en lugar visible la prohibición absoluta de la tortura y de los malos tratos como delitos tipificados en las leyes nacionales.

– El gobierno deberá adoptar y promulgar un código de conducta para todos los agentes encargados de hacer cumplir la ley con facultades para detener y mantener recluidas a las personas. Dicho código deberá ser conforme al Código de conducta para funcionarios encargados de hacer cumplir la ley (ONU) y a los Principios Básicos sobre el empleo de la fuerza y de armas de fuego por los funcionarios encargados de hacer cumplir la ley.

– Además de prohibir categóricamente el uso de la tortura y de los malos tratos, el código deberá asegurar que los agentes encargados de hacer cumplir la ley se oponen al uso de la tortura y de los malos tratos, negándose, en caso necesario, a ejecutar órdenes de infligir tales tratos a los detenidos, y que denuncian todo abuso de autoridad de este tipo a sus superiores y, en caso necesario, a las autoridades que según la ley tengan facultades de revisión o reparación.

– Toda infracción del código deberá conllevar la aplicación de sanciones disciplinarias específicas y la apertura de actuaciones penales contra los agentes implicados.

– El gobierno deberá asegurarse de que todos los agentes de orden público y miembros de las fuerzas armadas reciban la formación adecuada relativa a las normas de derechos humanos, tanto nacionales como internacionales, y a los medios para su protección.

14. Promoción del conocimiento de los derechos humanos

– La educación en derechos humanos deberá incluirse en los planes de estudio de todas las etapas del sistema educativo.

– Deberá instituirse un amplio programa encaminado a promover el conocimiento de los derechos humanos en todos los sectores sociales, especialmente en los que sean más vulnerables a los abusos de autoridad, incluyendo las minorías étnicas de habla no hispana.

15. Cumplimiento del derecho internacional

– La legislación y la práctica nacionales deberá ser plenamente conformes a los instrumentos internacionales de derechos humanos, incluyendo las convenciones de derechos humanos ratificadas por México, así como el Conjunto de Principios para la protección de todas las personas sometidas a cualquier forma de detención o prisión (ONU) y los Principios sobre la Eficaz Prevención e Investigación de Ejecuciones Extralegales, Arbitrarias y Sumarias (ONU).

16. Reconocimiento de los procedimientos internacionales para la protección de los derechos humanos

– El gobierno deberá ratificar el (primer) Protocolo Facultativo del Pacto Internacional de Derechos Civiles y Políticos, que permite que todo individuo que alegue haber sido objeto de una violación de cualquiera de los derechos enumerados en este Pacto y que haya agotado todos los recursos internos disponibles someta una comunicación escrita a la consideración del Comité de Derechos Humanos de las Naciones Unidas.

– El gobierno deberá declarar, en virtud del artículo 22 de la Convención contra la Tortura y Otros Tratos o Penas Crueles, Inhumanos o Degradantes (ONU), que reconoce la competencia del Comité contra la Tortura para recibir y examinar las comunicaciones enviadas por personas que aleguen ser víctimas de una violación de las disposiciones de la Convención y que hayan agotado todos los recursos legales internos.

– El gobierno deberá reconocer asimismo la competencia de la Corte Interamericana de Derechos Humanos sobre todos los casos relativos a la interpretación o aplicación de las garantías de los derechos humanos contenidas en la Convención Americana sobre Derechos Humanos.

INFORME DE AMNISTÍA INTERNACIONAL 1991

AMNISTÍA INTERNACIONAL INFORME 1991

Los gobiernos del mundo están frustrando las esperanzas concebidas por sus ciudadanos respecto a la protección de los derechos humanos, mientras incontables personas se sienten movidas a luchar por ellos, arriesgando su vida y su libertad.

Esta revisión anual de violaciones de derechos humanos abarca 141 países e informa sobre los presos de conciencia, los presos políticos a quienes se priva de un juicio con las debidas garantías, sobre las víctimas de la tortura, la desaparición y el homicidio político, y sobre los que han sido condenados a muerte o ejecutados en cumplimiento de una sentencia.

En un mundo en el que los gobiernos continúan ordenando y permitiendo estas violaciones y siguen escogiendo cuáles son los abusos que están dispuestos a condenar, el **Informe 1991** de Amnistía Internacional muestra por qué siguen siendo tan necesarios los esfuerzos globales por defender los derechos humanos, independientemente de los intereses políticos y económicos de los estados nacionales.

El mundo ha oído con demasiada frecuencia los pretextos de los gobiernos, que supeditan los derechos humanos a intereses políticos y económicos. Con todo lo que ha ocurrido no pueden admitirse ya más excusas.

9 788486 874162

PUBLICACIONES DE AMNISTÍA INTERNACIONAL

Las publicaciones de Amnistía Internacional le darán acceso a una información independiente e imparcial y de ámbito internacional sobre violaciones de derechos humanos. También recibirá indicaciones de cómo ayudar a las víctimas. Además de las publicaciones como la que usted acaba de leer, Amnistía Internacional edita otras con carácter periódico:

INFORME DE AMNISTÍA INTERNACIONAL

El informe anual es un estudio -país por país- del trabajo de Amnistía Internacional para combatir el encarcelamiento por motivos políticos, la tortura y la pena de muerte en todo el mundo. Al describir la labor de la organización, el informe proporciona pormenores de las violaciones de derechos humanos en más de 140 países.

BOLETÍN MENSUAL

Este boletín proporciona información actualizada sobre el trabajo de la organización: noticias sobre visitas de investigación, pormenores sobre presos políticos, informes fiables sobre torturas y ejecuciones. Está escrito -sin partidismos políticos- para activistas de derechos humanos y lo utilizan gran número de periodistas, estudiantes, abogados y otros profesionales.

CONTRA LA PENA DE MUERTE

Este boletín informa sobre todo lo relacionado con esta forma extrema de castigo: noticias recientes, tratados internacionales, avances en el camino de la abolición, relación de países abolicionistas y retencionistas... Constituye un instrumento inapreciable para quienes deseen contribuir a su desaparición.

REVISTAS

Son documentos en los que Amnistía Internacional expone sus datos más recientes sobre violaciones de derechos humanos. Al igual que en otras publicaciones de la organización, se da una visión general del problema y luego se informa sobre casos concretos.

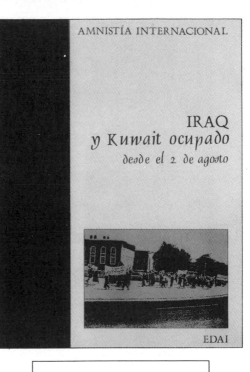

MUJERES
En primera línea

Violaciones
de derechos humanos
contra las mujeres

Unos agentes de policía golpean en el estómago a una detenida embarazada. Unos soldados armados violan a una anciana delante de su familia. Una joven es asesinada porque se negaba a abandonar la búsqueda de su esposo desaparecido. A una mujer la torturan para obligar a su esposo a "confesar".

Los torturadores, verdugos y carceleros del mundo no discriminan en razón del sexo. Ninguna tortura es demasiado bárbara para infligírsela a una mujer, ninguna pena de prisión es demasiado larga para ellas.

Este informe expone detalladamente las violaciones de derechos humanos que sufren las mujeres de toda condición, en todas las partes del mundo, en todos los regímenes.

Al centrarse en las violaciones de derechos humanos cometidas contra las mujeres, Amnistía Internacional espera movilizar el apoyo internacional para proteger a las mujeres y, por extensión, a todos los miembros de las sociedades a que pertenecen. Cuando los gobiernos ignoran sus responsabilidades respecto a un grupo social, no están a salvo los derechos humanos de nadie.

IRAQ
y Kuwait ocupado
desde el 2 de agosto

Después de la invasión de Kuwait, las fuerzas de ocupación iraquíes han cometido en este país abusos generalizados. Entre ellos cabe destacar el arresto arbitrario y la detención sin juicio de millares de civiles y militares, la tortura de muchas de estas personas mientras se hallaban bajo custodia y la imposición de la pena de muerte a centenares de civiles desarmados, incluso a niños. Además, siguen sin dar señales de vida centenares de personas que desaparecieron mientras estaban detenidas, por lo que se teme que hayan muerto en su mayoría.

Por otra parte, la brutal política iraquí de eliminación de toda forma de disidencia interna sigue vigente, y el pueblo iraquí sigue siendo víctima de ella. **Amnistía Internacional ha mostrado a la luz pública esta información en repetidas ocasiones y lamenta que hasta la invasión de Kuwait, la comunidad internacional no haya considerado preciso ejercer verdadera presión para que se pusiera término a tales abusos.**

Amnistía Internacional no toma posiciones en el conflicto del Golfo Pérsico ni aprueba las muertes y otros actos violentos cometidos por las partes del conflicto. Sin embargo, la organización sólo se ocupa de las violaciones de derechos humanos objeto de su mandato, que son las que se describen en este informe.

AMNISTÍA INTERNACIONAL

CHINA
La pena de muerte

EDAI

AMNISTÍA INTERNACIONAL

PARAGUAY
Obstáculos
a las investigaciones
sobre la era Stroessner

EDAI

CHINA
La pena de muerte

La aplicación de la pena capital en la República Popular China es más frecuente actualmente de lo que ha sido durante muchos años. El número de personas condenadas a muerte y ejecutadas entre septiembre de 1989 y febrero de 1991 ha alcanzado el nivel más alto desde 1983. En 1990 se castigaban con la pena capital más de 40 delitos, más que en cualquier otra época desde que entró en vigor el Código Penal de 1980. Este código se redactó al finalizar en 1976 la Revolución Cultural, periodo al que ahora se califica oficialmente de periodo "sin ley".

Este documento ofrece información sobre la aplicación de la pena de muerte en China en los últimos meses. Describe aspectos del procedimiento judicial en los casos de pena capital y argumenta que la condena a muerte en China, así como en otros países, es discriminatoria y que los procesos judiciales no pueden ofrecer garantías significativas contra los errores de la justicia. Incluye además extractos de artículos de la prensa jurídica china en los que se critican muchos aspectos de la aplicación de la pena capital en este país.

PARAGUAY
Obstáculos a las investigaciones sobre la era Stroessner

Durante la dictadura militar del general Stroessner, las violaciones de derechos humanos fueron graves y sistemáticas. En los 34 años que duró, apenas se iniciaron investigaciones sobre los abusos, muchos de los cuales no llegaron a conocerse porque las víctimas y sus familiares temían represalias si denunciaban los hechos.

El general Andrés Rodríguez derrocó a Stroessner el 3 de febrero de 1989. En mayo de 1989 se eligieron los miembros del nuevo Congreso y poco después éste creó una comisión sobre derechos humanos. A partir de entonces, las denuncias de violaciones de derechos humanos perpetradas por el gobierno anterior se sucedieron casi a diario en la prensa paraguaya, y se iniciaron investigaciones sobre algunas de ellas.

Sin embargo, muchas de las indagaciones han sufrido demoras o se han visto obstaculizadas por la actitud de las autoridades, que o no han cooperado o incluso han llegado a ejercer presiones para que se suspendieran.

En este informe, Amnistía Internacional estudia algunos de los casos pendientes y formula su opinión sobre el desarrollo de los procedimientos judiciales.

PAPÚA-NUEVA GUINEA

*Violencia
en torno a la explotación
de una mina de cobre*

EDAI

EL SALVADOR

*Impunidad
de las fuerzas armadas
y de seguridad*

EDAI

PAPÚA-NUEVA GUINEA
Violencia en torno a la explotación de una mina de cobre

La isla de Bougainville, en la provincia de las Salomón del Norte, ha tenido siempre un fuerte sentimiento de independencia. Cuando Papúa-Nueva Guinea obtuvo la independencia, en septiembre de 1975, Bougainville ya había declarado la suya unilateralmente pero aceptó formar parte de Papúa-Nueva Guinea si el gobierno central hacía ciertas concesiones.

En 1988 quedaban muchos problemas sin resolver: La desigualdad en la distribución de los beneficios y las rentas de la mina de cobre, explotada por la Bougainville Copper Ltd., y los graves daños que su explotación causa al medio natural, entre otros. En este contexto surgió el Ejército Revolucionario de Bougainville,. cuyos esfuerzos para cerrar la mina fueron esencialmente pacíficos al principio. Sin embargo, a partir de marzo de 1989, la violencia fue aumentando. Este informe estudia las violaciones de derechos humanos cometidas por las fuerzas gubernamentales en lucha contra el Ejército Revolucionario de Bougainville y los abusos perpetrados por éste, y hace unas recomendaciones al gobierno para que garantice plenamente el respeto a los derechos humanos.

EL SALVADOR
Impunidad de las fuerzas armadas y de seguridad

Amnistía Internacional lleva muchísimo tiempo esforzándose por poner fin a las violaciones de derechos humanos en El Salvador. Aunque los abusos no han vuelto a alcanzar las proporciones gigantescas que tuvieron a principios de los ochenta, a finales de la década volvió a recrudecerse la represión y las reiteradas promesas del gobierno Cristiani no han cristalizado en una mejoría de la situación.

En julio de 1990, el gobierno de El Salvador y el FMLN firmaron un Acuerdo sobre Derechos Humanos bajo los auspicios de las Naciones Unidas. En virtud de él, ambas partes se comprometían a impedir las violaciones de derechos humanos y a permitir la creación de una misión de verificación de la ONU cuando se hubiera acordado el cese de las hostilidades. Sin embargo, Amnistía Internacional siguió recibiendo informes de abusos.

HONDURAS
*Persistencia
de las violaciones
de derechos humanos*

EDAI

OBJECIÓN
DE CONCIENCIA
al servicio militar

EDAI

HONDURAS
Persistencia de
las violaciones
de derechos humanos

"La capucha se nos puso varias veces, patadas y puntapiés en todas partes del cuerpo, garrotazos, puñetazos... encendieron una grabadora a todo volumen para que no se escucharan los gritos de dolor y lamentos por las torturas aplicadas..."

Así relata su experiencia una persona detenida por la policía en enero de 1991.

Los malos tratos a detenidos políticos y comunes, la detención bajo custodia policial o militar en régimen de incomunicación por más de 24 horas —plazo estipulado por la Constitución—, así como asesinatos políticos y de delincuentes comunes, son algunas de las cuestiones documentadas en este libro. Raramente se han investigado a fondo las denuncias de tales abusos, por lo que los responsables han gozado de una impunidad casi total. Entre los casos que quedan por esclarecerse están los de más de cien personas que desaparecieron tras ser detenidas en los años ochenta. Amnistía Internacional considera que la persistencia de grandes violaciones de derechos humanos indica la necesidad de que se tomen medidas efectivas para erradicar las prácticas ilegales que cometen la policía y el ejército.

OBJECIÓN
DE CONCIENCIA
al Servicio Militar

Se entiende por objetor de conciencia toda persona susceptible de ser reclutada para el servicio militar que, por razones de conciencia o por convicciones profundas nacidas de motivos religiosos, éticos, morales, humanitarios, filosóficos, políticos o similares, rehúsa hacer el servicio militar o entrar en listas para ser llamado a filas (incluso en los países en que no es obligatorio), o tomar parte directa o indirectamente en guerras o conflictos armados.

En el presente informe, Amnistía Internacional expone de forma pormenorizada la situación en distintos países en los que la objeción de conciencia y el servicio alternativo están regulados por leyes que podrían tener como consecuencia el encarcelamiento de personas consideradas presos de conciencia por la organización.

PUBLICACIONES EN ESPAÑOL
DE AMNISTÍA INTERNACIONAL DURANTE 1990

AMNISTÍA INTERNACIONAL

BRASIL
Por encima de la ley

EDAI

AMNISTÍA INTERNACIONAL

SRI LANKA
Los derechos humanos
en crisis

EDAI

AMNISTÍA INTERNACIONAL

GUINEA
ECUATORIAL
Torturas

EDAI

AMNISTÍA INTERNACIONAL

PAQUISTÁN
Informe de mayo 1990

EDAI

AMNISTÍA INTERNACIONAL

CHINA
La plaza de Tiananmen
La matanza de junio de 1989
y sus consecuencias

EDAI

AMNISTÍA INTERNACIONAL

TURQUÍA
Continúan las violaciones
de derechos humanos

EDAI

AMNISTÍA INTERNACIONAL

MÉDICOS
El personal de la salud
ante la tortura

EDAI

AMNISTÍA INTERNACIONAL

EGIPTO
Negligencia intencionada
del gobierno en la protección
de los detenidos

EDAI

AMNISTÍA INTERNACIONAL

MYANMAR
Un país cerrado

EDAI

AMNISTÍA INTERNACIONAL

IRÁN
Guerra sin cuartel.
Los integristas
contra el pueblo

EDAI

AMNISTÍA INTERNACIONAL

JORDANIA
La protección
de los derechos humanos
tras el estado de emergencia

EDAI

AMNISTÍA INTERNACIONAL

GUATEMALA
Los niños de la calle

EDAI

Cómo obtener las publicaciones en español de
AMNISTÍA INTERNACIONAL

Las publicaciones pueden solicitarse directamente a las secciones o grupos de Amnistía Internacional en su país.

AMNISTÍA INTERNACIONAL EN EL MUNDO

ALEMANIA
Heerstrasse 178,
5300 Bonn 1

ARGENTINA
Avenida Colón 56,6.º oficina A
Córdoba 5000

AUSTRALIA
Private Bag 23,
Broadway
New South Wales 2007

AUSTRIA
Wiedner Guertel 12/7,
A-1040 Wien

BARBADOS
P.O. Box 872,
Bridgetown

BÉLGICA (De habla flamenca)
Kerkstraat 156,
2060 Antwerpen 6

BÉLGICA (De habla francesa)
9 rue Berckmans,
1060 Bruxelles

BERMUDAS
P.O. Box HM 2136
Hamilton HM JX

BRASIL
Rua Coropé 65,
CEP 05426 São Paulo - SP

CANADÁ (De habla francesa)
3516 ave du Parc,
Montréal,
Québec H2X 2H7

CANADÁ (De habla inglesa)
130 Slater Street, Suite 900
Ottawa,
Ontario, K1P 6E2

CHILE
Casilla 4062
Santiago

COLOMBIA
Apartado Aéreo 76350
Bogotá

COSTA DE MARFIL
04 BP 895,
Abidjan 04

COSTA RICA
Apartado 1024
San José 1002

DINAMARCA
Dyrkoeb 3,
1166 Kobenhavn K

ECUADOR
Casilla 240-C
Sucursal 15,
Quito

ESPAÑA
Paseo de Recoletos 18,
28001 Madrid

ESTADOS UNIDOS
322 Eighth Avenue,
New York, NY 10001

FINLANDIA
Ruoholahdenkatu 24,
SF - 00180 Helsinki

FRANCIA
4, rue de la Pierre Levée,
75553 Paris (CEDEX 11)

GHANA
P.O. Box 1173,
Koforidua, Eastern Region

GRAN BRETAÑA
99-119 Rosebery Avenue
London EC1R 4RE

GRECIA
30 Sina Street
106 72 Athina

GUYANA
Palm Court Building
35 Main Street
Georgetown

HONG KONG
Unit C, Third Floor
Best-O-Best Building
32-36 Ferry Street
Kowloon

INDIA
c/o Dateline Delhi,
21 North End Complex,
Panchkuin Road,
New Delhi 110001

IRLANDA
Sean MacBride House,
8 Shaw Street,
Dublin 2

ISLANDIA
P.O. Box 618,
121 Reykjavik

ISLAS FEROE
P.O. Box 1075,
FR-110 Torshavn

ISRAEL
P.O. Box 23003
Tel Aviv 61230

ITALIA
Viale Mazzini 146,
00195 Roma

JAPÓN
Daisan-Sanbu Building 2F/3F,
2-3-22 Nishi-Waseda,
Shinjuku-ku,
Tokio 169

LUXEMBURGO
Boîte Postale 1914,
1019 Luxembourg

MÉXICO
Ap. Postal Nœ 20-217,
San Ángel
CP 01000 México DF

NIGERIA
P.M.B. 59 Agodi
Ibadan, Oyo State

NORUEGA
Maridalsveien 87
0461 Oslo 4

NUEVA ZELANDA
P.O. Box 6647,
Wellington 1

PAÍSES BAJOS
Keizersgracht 620,
1017 ER Amsterdam

PERÚ
Casilla 659,
Lima 18

PORTUGAL
Apartado 1642,
1016 Lisboa Codex

PUERTO RICO
Calle Roble 54 Altos
Río Piedras,
Puerto Rico 00925

SUECIA
Gyllenstiernsgatan 18
S-114 26 Stockholm

SUIZA
P.O. Box 1051,
CH - 3001 Bern

TANZANIA
P.O. Box 4331
Dar es Salaam

TÚNEZ
48 Avenue Farhat Hached, 3ème
étage
1001 Tunis

URUGUAY
Yi 1333 Apto 305
Montevideo

VENEZUELA
Apartado Postal 5110,
Carmelitas 1010-A
Caracas

Si en su país no existe sección o grupo de Amnistía Internacional puede dirigir su pedido a:

Editorial de Amnistía Internacional - EDAI

Soria 9,4.º - 28005 Madrid - España
teléfonos 34 1 5279631 /32 - fax 34 1 5278709 - télex 41124 EDAI E